なぜ日本は中国のカモなのか

石平
李相哲

産經新聞出版

まえがき

東アジアにある日本という国は不幸にも、大変厄介な隣国を三つも持っている。大陸を大きく占める中国と、朝鮮半島にある北朝鮮と韓国である。

北朝鮮は日本国民を不法に拉致した正真正銘の犯罪国家であるのに対し、韓国という国は戦後、いわば「歴史問題」を材料にして日本を強請（ゆす）ったり叩いたりするようなことを繰り返してきている。そして巨大国の中国となれば、日本を含めた近隣国にとっての多くの災いの元であるだけでなく、今や日本の安全を脅かす最大の軍事的脅威にもなっている。

この三カ国はまた、多くの日本人にとって全く理解しにくい摩訶不思議な国である。北朝鮮の国民は常時に飢餓と貧困に喘いでいるのに、諸悪の根源である「金王朝」を心から礼讃しているようにも見える。韓国という国は、日本との約束を次から次へと破る一方、日本人に嫌われるようなことだけに情熱を燃やしている。そして中国の場合、自らの誤りは一切認めずに、「悪いのは全部おまえの方だ。おれはちっとも悪くない」という横暴な外交姿勢をどこまでも貫いていく。とにかくこの三カ国のやることは悉く、普通の日本人の常識と想像をはるかに超えているものである。

こうなるとこの日本の中では、中国、北朝鮮、韓国の政治・外交を解説したり、それらの国々の内部事情や行動原理を分析したりするような専門家が必要となってくる。実際、この方面の多くの専門家たちが各種のメディアで日々活躍している。

その中では、中国問題に詳しい専門家もいれば韓国・北朝鮮問題の分析を得意分野とする専門家もいるが、よく考えてみれば、中国問題と韓国・北朝鮮問題の両方に明るく、大陸と朝鮮半島の歴史や文化に精通している専門家はそんなにいない。「そんなにいない」というよりもおよそ一人しかいない。この一人とはすなわち、本書の共著者の李相哲教授なのである。

周知のように、李教授は中国生まれ、中国育ちの朝鮮族の方であって、今は日本の大学で教鞭（きょうべん）をとりながら言論人として大活躍中である。テレビで彼の出る場面をご覧になって、この人の冷静沈着さと問題分析の鋭さに感心している日本人も結構多いと思うが、拙者は李教授とお付き合いして数年、いつもこの人の博識さと中国・朝鮮半島にまつわる諸問題への造詣の深さに脱帽する思いである。

初めて教授の書斎を拝見した時、そこに所蔵されている中国語・韓国語・日本語の学術書・専門書の分厚さと、図書館に負けないくらいの多彩さ、豊富さに圧倒された。この人こそは中国問題・韓国問題・北朝鮮問題に精通している碩学（せきがく）、正真正銘の見識者であることを実感した。

そして今回、幸いにも李教授と対談する機会を得た。李教授の格調高い書斎の中で、教授の蔵書たちに囲まれながら二日間、中国について、韓国について、そして北朝鮮についても思う存分に語り合うことが出来た。

まる二日間にわたる私たちの対談内容は、中国、韓国・北朝鮮の政治や外交への分析からその背後にある彼らの歴史・文化への考察にまで及んだ。そして、自分たちの日本体験から発するところの日本文化論と、東アジアを俯瞰（ふかん）する視点からの日中韓の文明比較論にも花を咲かせた。まさに多分野と多次元の話に自由自在に往来した縦横無尽の対談であったが、拙者にとってそれは、李教授から多くのことを教わった、知的刺激に満ちた充実の対談であった。

そして対談の中で私たちは互いに共鳴したり相手の発言から啓発を受けたりする場面も多くある一方、基本認識の違う問題については遠慮のない論争をも真正面から交わした。

このようにして出来上がった一冊がすなわち、読者の皆様の手にある本書である。内容に対する評価は当然皆様にお任せしたいと思うが、共著者の私たちとしては、本書は絶対、中国・韓国・北朝鮮の政治や外交、その背後にある彼らの文化と歴史に対する皆様の理解を深めるのに大いに役立つだろうと確信している。そしてさらに、日本という国が文化・文明的に、中国や朝鮮半島とは根本的に異なっていることを本書を通してご認識いただければこれほど嬉（うれ）しいことはない。それこそは対談者である私たちの本望である。

最後に、対談に快く応じてくださった李相哲教授に心からの感謝を申し上げたい。今後も同じ帰化人としてこの日本の中で、そしてこの日本のために頑張りましょう！　本書の企画・編集にご尽力くださった産経新聞出版の瀬尾友子編集長と市川雄二さんにも心からの御礼を申し上げたい。難しい「理屈屋」の私たちからの無理難題によく応えてくださった！

そして何よりも、本書を手にとっていただいた読者の皆様に、頭を下げて御礼を申し上げたいところである。

令和3年8月吉日

奈良市西大寺近く、独楽庵にて

石　平

装　丁　神長文夫＋柏田幸子
ＤＴＰ　荒川典久
カバー写真　産経新聞社
帯写真　共同通信社

なぜ日本は中国のカモなのか

◎目次

第4章

なぜ私たちは日本人になったのか

孔子を聖人に祭り上げた罪
日本のよさは「素直」
秦の始皇帝と毛沢東
ならずものこそ天下を取る
中国には神がいない
本当の知識人はいない？
中国人に尊厳はあるのか
文化大革命で両親と離ればなれに
いじめられた地主の子供たち
毛沢東語録をたくさん覚えた
私は3つの祖国を持っている
日本でつくりあげたアイデンティティ
私は中国では生きられない

もう中国人をやめました
中国人女性を夢中にした高倉健
中国映画に武士道を感じた

第5章 中国の欠点をまねる韓国人

韓国人はいつまでも被害者
成功の証は権力者になること
日本は韓国にとって「野蛮な国」
日本は力はあるけど道徳的には下
幸いに日本は「科挙」制度がなかった
出世の目的は家族のため
なぜ大統領を選んでは捨てるのか
公と家族の関係は中国と同じ

第1章 だから中国は愛されない

習近平に期待していたのに

石　どうして最近、中国はこんなにも嫌われるのでしょうか。私は中国出身の漢民族で、李さんは中国出身の朝鮮族です。お互いに中国で生まれて、少年時代は中国で育ったわけですが、中国は当然いろんな問題を抱えている。私は日本でずっと中国批判の言論を展開していますが、そんな私でさえ、なんでここまで中国が嫌われるのかと考えてしまう。

例えば世界的にも有名なアメリカの調査機関「ピュー・リサーチ・センター」が２０２０年夏に世界14カ国で中国に対する認識を調査したところ、14カ国全てにおいて否定的な態度・認識を持つ人々のほうが多かった。よい印象を持つ人のほうが多い国は一つもありません。中国に対して特に否定的な見方をしている国は、日本が86％、スウェーデン85％、オーストラリア81％、韓国でも75％、もちろんアメリカでも73％と同様に高いです。

また、日本の「言論ＮＰＯ」という民間のシンクタンクが20年11月に公表した調査では、日本人は中国に対してよくない印象を持つ人が89・７％にのぼります。

李　ほぼ全員ですね。

石　冗談で言えば、私の言論活動が１％分くらい貢献しているだろうと思います（笑）。

李　いや、９割方、石平さんのおかげ、石さんのせいですよ（笑）。

石　いまは２０２１年ですが、特に対中国イメージが悪化したのはこの２、３年です。ここまで嫌われていることをどう思われますか？

李　私自身は中国の国家主席・習近平（しゅうきんぺい）への認識が当初と比べて変わりました。これまで習近平に関する本をたくさん読みました。彼が頭角を現したとき、香港で出版されたノンフィクションを読むと、この人いいなあと初めは思った。彼は中学生のときに陝西（せんせい）省の田舎に追放され、農民たちと一緒に仕事をした。推薦で大学に進学し、その後、地方幹部からスタートして、ほぼ全ての役職を経験して出世した人なんですね。

私が期待していたのは、もしかしてこの人は、いまは国を厳しく統制しているけれど、国全体がすこし安定したら民主化を目指すのではないかと思っていたんですよ。彼の父親も、文化大革命（１９６６〜76年）の時代は辛酸をなめていますし、改革派としても知られる立派な人だったと思っていた。

石　習近平の父親は当時の中国共産党幹部の中でむしろ開明派でした。胡耀邦（こようほう）（１９１５〜89年）と立場はけっこう近い。胡耀邦は１９８０年代、共産党総書記になった人で学生運動や民主化に理解があった。彼が死去したからこそ、追悼する気運が高まり天安門民主化運動が始まった。胡耀邦は民主化運動に理解を示しただけのことで共産党内部で批判され、引き下ろされた。そのとき唯一、彼のために弁解したのが習近平の父親だったのです。

李　１９５３年生まれの習近平は、私たちより年齢はすこし上ですが、大学院に入ったのはほぼ同じ時期でした。彼は文革時代に田舎で苦労もしているから、強権政治をやっているのは一時的なもので、後をにらんでやっているのかと思ったら、それが彼のスタイルだったんですね。そこに私はがっかりしている。なぜそこまで厳しくする必要があり、何を怖がっているのかいま一つわからない。

石　中国がどうして嫌われたか。習近平はある意味では中国という国、あるいは中国共産党政権の一番悪い部分を突出させたのです。

例えば中国共産党は過ちを一切認めない。新型コロナウイルスの一件は、どう考えても武漢から発生して世界に迷惑をかけた。しかも、習近平政権が初期段階できちんと情報を公開し、ちゃんと措置を取っていれば世界的な広がりはなかったと思う。２０１９年11月時点ですでに武漢市内で発生し、翌12月は非常にひどくなった。あの頃、中国政府はずっと情報を隠蔽（いんぺい）していました。20年1月下旬になってから初めて大変なことになったと発表した。

中国は責任重大です。新型コロナウイルスを武器として使ったのかどうか真偽はわからないけど、少なくとも情報を隠蔽したから感染が広まった。しかもいまに至って自国民に対しても世界中に対しても、おわびのことばが一つもない。むしろ逆に開き直っている。

李　開き直るどころか「イタリアが感染拡大の震源地」だとか「アメリカが新型コロナウイルスを持ち込んだ」とか無責任なことを言っている。逆にそんなことを言い出されたらアメリカや世界中の人々は白黒はっきりさせざるを得ないですよね。

世界で愛される中国を目指す？

石　香港のことも習近平政権になってから力で抑えつけています。香港は１９９７年に「一国二制度」でイギリスから中国に返還されてから、２０００年代の胡錦濤（こきんとう）政権時代はほとんど大きな騒ぎはなかったんです。

特に習近平がやった馬鹿なことは、香港のある書店が、彼の下ネタの本を出版しようとしたでしょう。もし中国初代最高指導者の毛沢東（もうたくとう）（１８９３～１９７６年）ならば、香港の出版社がそういう本を出版するなら、笑ってこう言うでしょう。「ネタが足りないなら、おれが教えてやる」と。

李　毛沢東はそういう人ですね（笑）。

石　香港で一冊の本を出されたとしても、どうでもいい話なのに、書店店主を拉致(らち)しましたね。

李　中国のよくない部分を書いた本を売っていた。そういうことになっていた？

石　香港ではけっこう売っていた。そういうことになると、習近平は過激な手段を使う。中国共産党があまりにも異質な政権であることを自ら示すのです。そうなると香港の人たちが反発する。反発を抑えつけるために中国は逃亡犯条例を押しつける。しかし、これに対する香港人の反発がさらに大きくなって、2019年夏からは大規模な抗議デモと抵抗運動が巻き起こった。それを抑え込むために習政権は2020年7月に香港国家安全維持法（6月30日施行）という稀に見る悪法を香港に押しつけ、一国二制度を完全に破壊した。これで習近平は国際資本を敵に回し、イギリスを敵に回し、ほかの先進諸国も敵に回してしまった。

それでも足りないと思ったのか、2021年6月に習近平は、世界の注目する中で香港の自由派新聞の「リンゴ日報」（蘋果日報(ひんか)）を廃刊に追い込んだ。それはまた、彼らが言論の自由を許さない横暴な独裁権力であることを、より一層国際社会に印象づけ、より一層嫌われるようになった。

李　蘋果日報の廃刊は、香港にかすかに残っていた一縷(いちる)の望みが完全に消えてしまったことを意味しますね。「東洋の真珠」と言われた香港が輝きを失ってしまった。都市としての魅力もなくなりました。かつて社会主義の国で一番面白かった場所は香港と隣接した深圳(しんせん)で、資本主義国で一番面白い場所は香港と言われましたよね。そんなところを自分の手でめちゃくちゃにしてしまった。中国政府は何をしようとしているのか本当に理解できない。残念でならない。

人間が人間らしく生きるためには自由が必要ですね。幸せを追求できる自由、行動の自由、言いたいことが言える自由ですね。何をするにも誰かの顔色をうかがったり、ビクビクしながら生きるのは嫌ですよね。

石　とにかく習政権のやっていることは全て、中国の独裁体制の異質性、問題点、悪質さをより明確な形で示しています。

もう一つは、中国の伝統的な傲慢(ごうまん)さというか、習近平本人が多少意識して2021年5月末に「世界で愛される中国を目指せ」と指示したでしょう。彼は中国が愛されていない、尊敬されていないことを自覚している(笑)。

李　日本は一度も「愛される日本を目指せ」とは言っていませんが、ほかの国から愛されている。中国が愛されていない理由は何ですか？　繰り返しますが、一つは、香港に対して50年間は一国二制度でやると約束したのに中国が破ってしまった。それに世界はあきれているというのがありますよね。

石　約束や契約を守らないのは中国の伝統芸ですからね。

李　（笑）

石　ただし、このような明確な形で、世界中の前で証明してしまった。中国はどうして愛されないかというと、習政権は中国の5000年間の歴史が生んだ一番悪いところと中国共産党の100年間の一番駄目なところを、全部丸出しにした。だから嫌われる。習近平の愚かさと、例えば約束を守らない、人を尊重しない、自己中心、誤りを認めない、謝らない。大作家の魯迅(ろじん)が言った、中国人の「劣根性」（悪い根性）を丸出しにした。

李　中国に対する風当たりが強くなったのは、香港問題と新疆(しんきょう)ウイグル自治区の問題、もう一つは新型コロナウイルスですよね。ここ数年、中国に対するイメージが急速に悪くなった。この3つのことで共通するのは、中国はまず事実を認めない。

石　そうですね。そこが致命的。

李　中国は人権問題が「存在しない」。それから、謝らない。

石　香港で一国二制度を殺したにもかかわらず、「香港国家安全維持法があるからこそ一国二制度がさらに補強された」という言い方をする。平気で黒を白だと言い切るんです。

中国に住みたいアメリカ人はいるのか

李　普通は国家が世界から嫌われたり制裁を受けたりすれば、苦労するのは一般の人々なんですね。国の利益とか中国の十数億の人々の幸せを考えるのであれば、すこしは外国が言っていることばに耳を傾けるけれども、中国外務省の報道官の態度を見ていると、あんたたち何を言っているんだと。われわれに好きなことをやらせろ、やりたい放題やりますと、そんな開き直った態度です。

石　いまの中国外交官の言い分をまとめてみたら、全てが、われわれは悪くない、外国が悪い。中国のいいところをおまえたちは理解していない、おまえたちが言っていることは全て中国に対する捏造であり侮辱、われわれはジェノサイド（民族大量虐殺）も悪いことも何もやっていない――。

李　しかも中国は「アメリカは世界中で戦争を起こして人を殺している、中国は一度も戦争を起こしていない」と言っている。アメリカはなぜ太平洋の向こう側にいながら、アジアの海でわれわれが何かをすると手を突っ込んでくるのかと不満をぶつけている。しかし、もう一歩下がってみると、いまアメリカと同盟を組んでいる国はたくさんある。アメリカは力で何かをするような政治もやっていますけれども、アメリカに対する好感度を調べると中国より高い。世界中の多くの人々は、いつだって米国籍をくれるのなら、こぞってアメリカに行こうとするでしょう？　中国人だってそうでしょう。メキシコ人は命をかけてアメリカに入ろうとする。しかし、アメリカ人で中国に住みたい人はいるかな。

石　アメリカ政府は中国の高官を制裁しました（注・米財務省は2021年3月22日、中国の新疆ウイグル自治区で人権を侵害したとして、中国政府の幹部2人を制裁対象となる特別指定国民に指定した）。アメリカへの入国を認めず、アメリカ国内の財産を凍結した。中国も報復措置として、アメリカの高官に対しても同じ制裁措置を取った。しかしアメリカ人はみんな笑ってしまうでしょう。そもそも誰も中国に行きたくないのに、中国国内に財産がないのに、どうやって凍結するの？（笑）

李　最近、外国による中国への制裁に反撃するための「反外国制裁法」という法案が可決されましたよね（注・中国の立法機関、全国人民代表大会＝全人代＝の常務委員会は2021年6月10日、北京で開いた会議で同法を可決し即日施行した）。外国資本の企業をいじめるということかな?

石　そういう可能性がある。ますます嫌われるよ。少なくとも江沢民(こうたくみん)政権(1989〜2002年)にしても胡錦濤政権(2002〜12年)にしても世界と折り合う意識がまだあった。自分たちのイメージを悪くさせないよう世界に対して遠慮することがあった。

李　それは、その前の最高指導者の鄧小平(とうしょうへい)(1904〜97年)が賢明だったからか、中国にまだ力がなかったからか。

石　2つともですね。

李　毛沢東の持久戦は、困ったら逃げる。相手が疲れてへとへとになったら攻撃する。中国の基本的な対外戦略は、毛沢東の言う持久戦に似ている。中国国民党の蔣介石(しょうかいせき)(1887〜1975年)と戦うときもそうじゃないですか。いま中国は力をつけているから攻撃に出ている。

石　問題はアメリカも力があるということ。でもアメリカのやり方は上手でしょう。むしろ時には中国より露骨に力を誇示する。例えばイラクに対してがそうでした。世界の秩序を守るため「泥棒」に対して「警察」が毅然とした態度を取った。だからアメリカは嫌われない。「警察」だからむしろ英雄視される。しかし中国は嫌われる。

鄧小平の時代、仮面をかぶることで世界中に多少いい印象を与えたこともあるけど、いったん本性をむき出しにしたら徹底的に嫌われる。本性が変わるわけじゃないから、李さんが仰ったように戦術の問題です。

しかし、習近平は2つの過ちを犯した。一つは気が早かった。あと10年、世界を騙し通せば、10年後に本性を出しても世界はもう手に負えなかったはずですから。

もう一つはやり方が下手ですね。例えば胡錦濤ならば一応メガネをかけてインテリ的な顔をしている。一方の習近平は本性むき出し。習近平以前の中国はよくていまは悪いとかじゃなく、いまの中国は昔と同じようにしょうもない。共産党は最初から最後まで極悪の政権です。しかし習近平の悪いところといいところが、そういう本当の部分をあますところなく、みんなの前で極端な形で見せてしまう。ただ、別の言い方をすれば、われわれは習近平に感謝をしなければいけない。

李　（笑）

石　習近平は「おれたちはヤクザだよ」ということをみんなに教えてくれた。ある意味、正直者です。彼は北方の出身ですが、やはり同じ中国人でも南の人は北の人よりも仮面をかぶることが上手で、もっとソフトな顔ができる。

李　習近平は陝西省出身ですからね。

石　習近平以前の指導者は南の出身が多いですからね。胡錦濤は安徽省、江沢民は江蘇省、胡耀邦は湖南省……。

李　鄧小平は四川省ですね。だから揚子江流域から南のほうは北方と違いますね。

石　違いますね。

李　石平さんが新聞に「戦狼外交」と書いたことを覚えています。

石　近年、中国外交が「戦狼外交」だと揶揄されることがよくあります。中国の外交官たちは、あらゆる外交場面で好戦的な姿勢を示し、けんか腰となっていることがその理由です。２０２１年3月後半からは、さらにエスカレートして、いわば「狂乱外交」の様相を呈してきています。

チンピラヤクザ外交の何が上手？

李　中国がいま嫌われているのは、外交が下手だからなんですかね。なぜですか？　日本では「中国は外交がうまい」と言いますが。

石　昔から日本のマスコミは中国外交に対する決まり文句として「したたかな中国外交」

と言うでしょう。たしかに例えば鄧小平の外交はしたたかでしたよ。全ての国々をうまく利用して籠絡（ろうらく）して、日本もアメリカも自分の目的のために奉仕させる知恵があった。

習政権の外交の一番の問題は、中国伝統の合従連衡（がっしょうれんこう）の統一戦線外交を忘れたことです。むやみにけんか腰となって敵をつくるでしょう。非常に戦略性が欠けて、きまぐれ。したたかさが何もない。例えば２０２０年の中国外交を見ると、アメリとけんかをしている最中にオーストラリアとけんかを始めた。それもまだ終わっていないのにイギリス、インドともけんかを始めた。

李　フランスともすごく関係が悪くなっている。

石　中国は全方位でけんか腰。もう意味がわからない。

李　すこしでも悪口を言うと怒るからね。

石　おれの悪口を言ったんか、表に出ろ（笑）。これはチンピラかヤクザの外交です。ヤクザでも上等なヤクザではない。チンピラヤクザの外交です。

最後、中国が外交的に頼りにするのがＥＵ（欧州連合）。特にドイツはＥＵで経済的に力を持っているからね。２０２０年末、ＥＵと中国が7年近くに及んだ投資協定交渉で大筋合意したんですよ。中国はドイツ首相のアンゲラ・メルケルに花を持たせた。12月30日に習近平とＥＵ首脳がオンライン会談して、中国のマスコミも大興奮した。一気に閉塞感を打破できた、われわれの歴史的勝利だ、と。

李　中国はアメリカと仲が悪くてもＥＵがあると自信を持った。

石　ここまではいいですよ。問題はそこからです。今年（２０２１年）３月になると、中国の新疆ウイグル自治区での人権侵害に関与したとして、アメリカ、ＥＵ、イギリス、カナダは協調して中国当局者らに制裁を発動しました。ＥＵも普遍的価値観を大事にするから、中国に制裁措置を取った。しかし、私から見ればＥＵの制裁措置はアリバイづくりのような生温かいものです。アメリカは中国の中央政府高官にも制裁措置を加えましたが、ＥＵの制裁対象は新疆ウイグル自治区の４人の地方幹部と1団体だけ。しかも新疆ウイグル自治区トップで党委員会書記の陳全国（ちんぜんこく）は避けている。彼の部下４人と形だけなんです。

それでも習近平は激怒して、当日のうちにＥＵ議会の人間も含めて10人４団体に報復制裁を行った。「倍返し」のドラマ『半沢直樹』どころじゃない。そもそもそこまでやる必要があるのか。

李　習近平は、偉大なわれわれに、あなたたちみたいな人がなんでそんなことをするのかと怒った。

石　怒った結果、ＥＵ議会は投資協定の審議を凍結した。というのはＥＵと中国の間の行政府の合意ですから、ＥＵの場合は議会が審議して批准しないと成立しない。ＥＵ議会が怒って審議を凍結させたことで、習近平にとっては、やっと食卓にあがったおいしいアヒルが飛んでいったわけです。

習近平が馬鹿なことをやったから、ＥＵがアリバイづくり的に痛くもかゆくもない制裁をやっただけで、無視すればいいし、せいぜい抗議にとどまればよかった。ムキになって報復措置、しかもＥＵの倍以上の報復をしたために、やっと手に入れた２０２０年最大の外交的勝利を自らの手でつぶしてしまった。

韓国人も中国を嫌うようになっている

李　中国はしたたかで余裕がある国と見えたけど、実際には余裕が全くない。

石　鄧小平のときよりいまは余裕があっていいはずなんだけどね。

李　例えば２０１９年９月には、中国政府のシンクタンク「中国社会科学院」の招聘(しょうへい)で訪中した北海道大学の日本人教授が拘束されたでしょう。このときは日本政府の強い働きかけで２カ月後に釈放されましたが。17年には中国企業の依頼で温泉探査に出張した技術者ら6人が拘束されています。そんなことを中国はなぜするのでしょうか。

石　私もわからない。おそらく一種の「戦狼外交」と同じことです。そんな疑問を持つ人は多いでしょう。

中国の外交官があんなに汚いことばで相手をののしったり、あちこちでけんか腰になるのは、誰から見ても外交のためにならない。結局、相手の国を見て外交をやっているのではなく、習近平だけを意識しています。トップが馬鹿な独裁者になれば、みんな習近平のメガネにかなうように、あるいは習近平が満足できるように競って強硬姿勢を出すんです。だから、先ほどの拘束の話もそう。おそらく上が厳しくやるならば、下の国家安全部の人間も、とにかく犯人を捕まえようとする。犯人がいなくてもね。

李　結局は日本に厳しくしているように見せたいんですね。いまの話でいうと、駐フランスの中国大使がそんな馬鹿なことをしている。中国に批判的な論調を展開した人に対してすごく怒った。

石　しかも一国の大使がフランスの学者に対して「おまえ、ハイエナじゃないか」とまで言った。ハイエナは腐った肉を食べる動物ですから、ひどい発言です。

李　フランスでは「あの大使を追放する」という話までありましたね。どこに行ってもけんか腰ですよね。

石　ですから、中国がどうしてそこまで嫌われたかというと、責任の多くは習近平です。自信過剰になって、何でも力で解決して、世界を上から見下ろして、「おれにたてをつくならザマミロ」という態度になったことが、結果的に中国の共産党政権の異質性と、中国という国の伝統的に異質なものをむき出しにした。

以前はアメリカ人や外国人は中国の本質をわからないだけだった。中国人は外国人をごまかすのが上手だったから。ただ、外国人が中国を訪問したら、中国はチームをつくって、何を信じ込ませるかと対策を練る。

李　そういうのは上手ですね。この人は誕生日がいつで、どんな食べ物が好きか、何をすれば喜ぶのかを調べ上げ、一番驚くように演出をする。例えば福岡の名物が好きだと事前に情報を入手して、バーンと出したら相手は感激するでしょう。そういう演出はうまいですよね。

石　昔は知恵があった。いまはこの知恵さえなくて、習近平が共産党政権と中国の本性を世界中にむき出しにして見せた。

李　それは何なんですか。傲慢になったのは金持ちになったからか、自信がついたからか。

なぜなんでしょう？

石　ここが問題です。金持ちになったら傲慢になる奴は、人間関係では最低です。最近ニュースを見ていたら、韓国人も中国を嫌うようになっている。これはどういうこと？

李　昔から韓国人は中国に反感があるんですよ。これまでずっと中国の侵略を受け、いじめられた。しかも昔は中国の言う通りにしなければ、国を全部ぐちゃぐちゃにされ、毎年美女たちをたくさん送らされたり……。

石　朝鮮時代の話？

李　はい。ただ、近年になっても南北朝鮮は中国が介入しなければ本当は統一したんですよ。

　１９５０年６月25日に朝鮮戦争が勃発して、釜山（プサン）近くまで押されていきましたけど、反撃、北上して10月には平壌（ピョンヤン）を占領して中朝国境まで行った。そこに中国が入ってきて30万の大軍を投入して、また押されていくんですけど、当時のことを記憶している人はけっこういる。そういう歴史の問題があるのと、特に韓国が中国に嫌気がさしているのは、中国が最近なんでも中国のものだと主張していることですね。例えばキムチも中国のものだとして「キムチ」という表記をしたら中国に輸出できなくしています。

石　何と表記すればいい？

李　泡菜（中国の漬物）。

石　わっはっは。

李　中国はそういう横暴をやっている。しかも韓国では中国の歴史好きな人はかなり多い。例えば三国時代の高句麗（紀元前1世紀～後7世紀）とか、そのへんの歴史はみんな知っているわけですね。「東北工程」ということばを聞いたことはありますか。

石　知っています。

李　中国はかつて、いまの中国東北地域に存在した高句麗という国は中国の地方政権だった、と。

石　朝鮮の歴史を完全に否定してしまう。

李　否定して完全に改ざんしてしまう。しかも習近平が米前大統領のドナルド・トランプに最初に会ったとき、実は韓国は中国の属国だった――と言ったことが報じられています。最近は韓国の民族衣装のチマチョゴリも中国のものだと。

石　（笑）

李　だから韓国人は、中国が韓国の一般の人々の感情を刺激していることに怒っている。

北朝鮮も中国に対していい感情を持っていない。北朝鮮の人々は、韓国はアメリカが徹底的にサポートして豊かな国になったのに、中国は生かさず殺さずちょびりちょびりとしか支援しないんだと。実は違うけどね。韓国はアメリカの支援とシステムを導入して努力して貿易立国したけれど、北朝鮮はとにかく「お金ちょうだい」という態度ですから、中国だって対処が難しい。そこで金正恩（キムジョンウン）の父親・正日（ジョンイル）は「中国はわれわれの１０００年の敵だ」と。アメリカは１００年の敵だけれども、中国は昔からわれわれをいじめてきたんだと言っている。

紫禁城招待は最大の間違い

石　「中華人民共和国」が成立してから外国の戦争に出兵して参戦したのは2回あって、一つが朝鮮戦争、もう一つがベトナム戦争です。実際には初期段階で秘密裡に軍隊を派遣して参戦したディエンビエンフーの戦いもあります。あるいは当時、ベトコン（南ベトナム解放民族戦線）を中国が全面支援した。初代ベトナム民主共和国主席のホー・チ・ミンから頼まれ、食料や武器弾薬などなんでも全面支援した。ベトナムを支援するために成都から昆明まで結ぶ鉄道もつくった。でも最後はベトナムから嫌われた。

李　嫌われて戦争までした。

石　ベトナムは統一してから、ベトナム共産党からすれば一番の敵が中国。中国を挑発して戦争を仕掛けた。朝鮮戦争では中国共産党の出兵がなかったら金日成（キムイルソン）の政権は終わっていた。しかし結局、金日成も中国を裏切った。

李　中国の周辺には14ほどの国がありますが、みんな中国とは仲よくない。

石　面白いことにベトナムを助けてアメリカと戦争をしたでしょう。朝鮮でも同じ。最後はベトナムからもアメリカからも嫌われる。北朝鮮からも韓国からも嫌われる。インドからも嫌われる（笑）。そうでしょう？

李　ですから専門家の中には最近、「中国はアメリカには勝てない」という意見が出ている。一番大きな理由は、中国は世界から嫌われているから。しかもアメリカは世界に150カ所以上基地がある。そのくらいアメリカはそれぞれの国と関係が良好です。中国は1カ所もないんです。自分で島を埋めて基地をつくったりはしますが。

中国とアメリカの1対1で戦ってもアメリカの軍事力は10倍くらい上だと言う人もいますが、アメリカは全世界と一緒になって中国と戦おうとしているから、中国は太刀打ちできない。

石　アメリカを敵に回したのは共産党にとって最大の失敗です。実は習近平が胡錦濤からバトンタッチしてトップになる前に、江沢民が習近平に唯一、政治的にアドバイスをしたのは「アメリカを敵に回してはいけない」と。

李　しかし、私がわからないのは、トランプが当選して中国を訪問したとき、中国式の歓迎をしたでしょう。紫禁城（現・故宮博物院）を貸し切って、トランプを迎え入れて、彼のかわいい孫、女の子を……。

石　いやいや、そもそも紫禁城に招待するのは最大の間違いです。一つにはトランプという人間はそんなものに興味がない。紫禁城よりゴルフ場のほうが好きな人間だからね。もう一つは、紫禁城は皇帝の宮殿であって、宮殿ができたときアメリカはまだ存在していなかった。

アメリカの国家元首を紫禁城に呼ぶのは、周辺の野蛮な国の王様に謁見させるような行為です。要するに「おれたちにはこんな歴史がある」と自慢する行為だったのです。あとでトランプの周辺で彼に「あなた馬鹿にされたんだよ」と言う人が出てくると思うけど。

李　トランプがそこで何を感じたのか非常に興味がある。私が田舎から北京に行って、初めて紫禁城を見たときは感激した。よくこんなものをつくったなと。

石　私もそうです。圧倒されました。

李　しかし、いま紫禁城を見ると、本当に中国人は馬鹿だなと思ってしまう（笑）。

石　おそらくあの時間はトランプにとって窮屈でつまらなくて、しょうもないものだったはず。対米外交にこういう逸話があるんです。第37代米大統領のリチャード・ニクソンが中国を訪問したとき、毛沢東夫人の江青（こうせい）が「革命歌劇」のバレエを見せた。

李　女子のバレエを真似して、革命軍の女子戦士たちが踊りましたね。

石　ニクソン、寝ますよ。なんで革命女子戦士の物語に興味があると思うの？（笑）

李　私はモスクワのボリショイ劇場でバレエを見たことがありましたが、40人くらいの若い女性が白鳥の衣装を着て踊る姿は本当に幻想的で美しかった。しかし、中国の革命軍の女子戦士たちはパンツをはいて銃を持ってバレエを踊る。醜いというか、滑稽というか。

石　ニクソンは頭が混乱して、何これ?と思ったんじゃないかな。

李　そう考えると中国人は自己満足というか人に対する配慮がない。

石　もう一つ、中国には世界中の人々を感動させるような文化がありますか？　ないですよ。例えばオーストリアに行ってモーツァルト、ドイツに行ってベートーベンを聴いたら世界中の人々は感動しますよ。

李　ロシアには野蛮な印象があるけど、本当に素晴らしい文化を持っている。

石　チャイコフスキーを生んだ国ですからね。

李　ロシアは美術品も素晴らしい。

トランプの話に戻るけど、紫禁城には昔の王様が散策するときに休んだ、赤い柱で囲まれた小さな憩いの場が多いですが、習近平とトランプはそこでお茶を飲みましたよね。トランプに王様気分を味わわせようとしたのかもしれませんが、トランプは興味なかったでしょうね。

石　トランプが一番喜ぶのはコカ・コーラ。

李　しかも紫禁城は古くて湿気があって臭うんです。だからトランプは好きじゃなかったと思う（笑）。

中国は日本に感謝しないといけない

石　中国がアメリカと覇権を争うのは無理です。中国には同盟国がないし、世界中を引き寄せる文化がないんですよ。アメリカはハリウッドが世界中を制覇できるでしょ。マイケル・ジャクソンもそう。西洋に行ったら、ベートーベン、モーツァルトも世界を制覇しているでしょ。中国はそういうものがない。なんでも中途半端です。

もっとも、中国に文化がないわけではない。でも水墨画や漢詩など中国文化を楽しめるのはほぼ日本人なんです。だから中国人は本当は日本に感謝しないといけない。漢詩を英語に翻訳して英米人に読ませたら、「なんや？　あほちゃうか」という世界になるから。

李　文化人は好きかもしれませんが。

石　京劇をウィーンやボストンに持っていって誰が見ますか（笑）。

李　中国人だってごく一部の人しか見ないですからね。

石　中国は昔、「技術は西洋に負けているけど、文化は負けていない」と言ってましたが、残念ながら正直言って文化も負けています。

李　それに最近、中国の企業が世界１００大企業に何社か入っていると言うけれども、中国の企業がなくても世界は困らない。

石　そうそう。

李　例えばマイクロソフトやアップル、アマゾンが急になくなったらみんな困るけど、中国の大企業が退出されても困らない。中国で一番大きいのは国家権力によって支配されている企業ですね。中国工商銀行などは世界的に見ても馬鹿でかい。でも、ただそれだけです。石油会社も石油をたくさん使っているだけの話。

石　日常生活で中国製品で、なくて困るものは何もない。パンツははかないと困るけど、ベトナム製でもいい。パソコン、スマートフォン、炊飯器、掃除機、洗濯機がなかったら困るけど、中国が開発したものは一つもない。中国人が創意工夫してつくったものでは中華鍋くらいですか。

李　それは２０００年前からあります（笑）。でも中国は誇りを持っている。ロケットも火薬もアメリカがつくっている武器も、中国が発明したもの。アメリカが軍事的に強くなったのも中国のお陰だと。とにかく全てが中国のものだと言い張る。中国の誇りと言えば四大発明があります。

石　紙、火薬、羅針盤、印刷術ですね。

李　たしかに火薬を発明したけれども、何に使ったと思いますか。爆竹です。

石　わっはっは。

李　全ては王様を喜ばせるためにつくったものですから、進歩はないですよね。現代文明では火薬をいろいろな用途に広めたのは西洋だし、羅針盤を中国が発明したというけれど、中国は明（みん）時代（１３６８～１６４４年）に船を全部壊して、外に出なかったから必要なかった。

石　「火薬を発明した」と称しながら、清王朝（1616～1912年）のとき、イギリスが戦艦から大砲を撃ったら清朝は驚いた。

李　紙は中国ではもちろん文化として脈々と伝わってきているけれども、一部の文人が遊びで自己満足で書を楽しむことに用いられ、知識を普及するためのものじゃなかった。

石　世界に対する影響は限られています。むしろ中国のほうが世界の近代文明を受けて変わったんです。習近平でさえネクタイを締めている。ただ、締め方が下手くそなだけ（笑）。

李　漢字もそうですが、漢字が誕生した3000年前から近代にいたるまで中国は漢字を発展させることはなかった。「発展させる」という発想がなかったんでしょうね。その点、中国は日本に感謝をしなければいけない。現代の哲学書をはじめ学問で使っている漢字の概念は日本がほとんどつくっていますよね。漢字はそもそも1文字が1つの単語で意味をなすので難解で、新しい文物を取り入れることに適してなかったのですが、それを組み合わせて新しい単語をたくさん生んだのは日本です。警察や警備、警笛、警告という具合ですね。

石　そうですね。いまの中国語の概念は、ほとんど日本から逆輸入しました。政治ということばも、経済、哲学、社会、政府も全てそうです。

李　日本は実用的な民族ですから、漢字を実用化した。哲学、歴史と２文字の語彙（ごい）をたくさんつくった。中国では歴史は「史」だけですが、日本では「歴」を加えた。わかりやすくて近代文明と関係あることばはほとんど日本がつくっていますね。

韓国大統領が言ってしまったセリフ

石　おれたちは昔はすごかった、いろんないいものをつくった、偉かった、と言うのは韓国、北朝鮮も同じじゃないでしょうか。

李　ただ、韓国が問題なのは中国に頭が上がらないこと。大統領の文在寅（ムンジェイン）は中国に行って、「中国に比べると韓国は小さい国」と言ったんです。大統領はそんなことを絶対言ってはいけない。たとえ人口１万人の国だったとしてもそんなことは言わないですよね。

石　大きいか小さいかは別にして、自分たちはオンリーワンのはずです。

李　韓国の文学史に残っている有名な詩があります。

〈天の下に大きな山　その麓（ふもと）の小さな山〉

この「小さな山」が韓国です。「小中華」という歌があって、韓国は大中華（中国）に次ぐ小中華だと喜んだ。支配階層や知識人が特にそうです。

石　中華には及ばないけれども「小中華」だから日本を見下ろすことが十分できるというわけですね。

李　100年前までソウルには、パリの凱旋門のように中華を慕うという名の慕華館の前に迎恩門というのがあった。

石　中国皇帝の使者を迎える迎恩門ですね。1896年までありました。

李　それくらい中国に対しては奴隷みたいに「中国さまさま」ですね。それがいまだに残っている。文在寅がそういうことを言っています。

石　驚きますね。

李　それについて批判の声が上がったけどね。さらに言うと文在寅が当選して、最初に中国に行ったのが2017年12月です。大統領に選ばれてから7カ月後ですが、彼は中国に4日間いたのに、習近平も首相の李克強も政治局員の誰も彼と食事をしなかった。

石　一国の大統領にとってこれほど屈辱的なことはない。ずっと一人飯なんて信じられない。

李　しかも、朝、どこかの店に入って寂しい一人飯をしたものですから、それを批判されたら「北京の人民の生活を体験するためだった」と。そこで体験しなくてもいいのに。

石　もし日本が韓国の大統領にそういう待遇をしたら、韓国は戦争を仕掛けるよ（笑）。

李　文在寅は中国に対して一途（いちず）ですね。中国に対して弱いんです。それを見ている一般の人々は中国に反感を募らせています。

石　前大統領の朴槿恵（パククネ）も中国語が達者ですね。

李　彼女の場合は英語、フランス語、スペイン語もできた。カトリック系の学校に通っていたんです。17歳のときに父親・朴正煕（チョンヒ）の代わりにハワイを訪問して英語でスピーチをしましたが、そのスピーチを聞いたことがあります。英語はかなりうまい。

ただ、朴槿恵も中国に幻想を持っていました。少女時代に父からもらった中国の歴史書『三国志』を熱心に読んだらしい。彼女の自叙伝によると、『三国志』を読んでいて、趙雲（ちょううん）という武将が出る場面では胸を躍らせたと。だから中国に好感を持っていたんでしょうね。

　習近平が地方幹部だったとき、韓国を訪れたことがありますが、彼は朴正煕が提唱した「新農村運動」に興味を持っていたそうです。朴正煕時代に国をあげての大事業で、韓国の隅々まで木を植えさせ、村をきれいにする運動でした。それを習近平が視察して参考資料を求めたところ、朴槿恵が7箱分くらいの資料を用意して送った話が残っている。習近平が訪韓したとき、朴槿恵は地方出張中でしたが、わざわざ急きょソウルに戻って長時間、話をしています。

何を言いたいかというと、朴槿恵は北朝鮮と何か大きな妥協をしたり、朝鮮半島を統一するには中国の協力がいると考えていた。朴槿恵にとって習近平は昔から面識があるし、韓国に好意を抱いていたと思っていたから統一問題で中国に頼ろうとした。

当時、朴槿恵が中国を訪問する前、ある筋を通して、中国に何を言えばいいかと私に助言を求めてきた。私は4ページにわたる手紙を送ったんです。当時は私も純粋でした。「朝鮮半島統一にぜひとも力を貸してほしい。統一過程でも後でもわれわれは中国に迷惑をかけない、と単刀直入に頼むのがいい」と伝えたら、それが功を奏したのかわからないけれど、朴槿恵が習近平に会って「朝鮮半島統一に協力をお願いした」という主旨の記事が韓国の「東亜日報」に載ったんです。しかし、アメリカからするとこれは裏切りなんですね。

石　中国の抗日戦争勝利記念の軍事パレードを民主主義国家の大統領が参観しましたからね。

李　中国からするとありがたくてね。習近平はロシア大統領のプーチンと朴槿恵を両側に立たせ、自慢気にパレードを見ていた。アメリカからすると、とても許せない。

石　もう一つ、習近平が韓国を訪問したときの歓待ぶりは、まさに皇帝様を迎えるあの場面に似ている。

李　しかも中国の歴代指導者は、最初に北朝鮮を訪問してから韓国に来るけど、習近平はまず韓国に来た。ただ、２０１７年に韓国が米軍による迎撃システム「高高度防衛ミサイル」（ＴＨＡＡＤ（サード））を配備したとたん、指導者間の「信頼関係」など関係なく、過去に何があったかも関係なく、中国は韓国に報復を仕掛けました。韓国製品や韓流ドラマに制裁措置を加えた。

石　習近平政権が、相手の立場を考えないという中国の一番悪いところを出した。韓国もアメリカの要求を受けざるを得ない、やむを得ない立場があるんです。中国は相手の立場を一切理解しようとしない。全て「おれさまの都合」にならないと駄目だという考えですね。

李　そこで決定的に韓国が敵になった。

石　そのやり方ではどこの国も敵に回しますよ。

李　朴槿恵はアメリカより中国が好きだったというよりは、北朝鮮と何かをするのに中国の力が必要だと思っていた。

石　それは幻想です。

李　幻想ですか。中国が手伝ってくれるというのは幻想？

石　そう。むしろ中国にとって朝鮮半島は分断されたままのほうが都合がいい。

李　朴槿恵はそこを間違えた。中国という国は、ほかの国のプラスになることは絶対にしないからね。

石　はい、これは一番の結論。国際社会みんなのためになることは絶対ない。

李　だから公（おおやけ）がない。

石　そうそうそう。習近平がむき出しにした悪いところの根源は、中国の文化、伝統にあって、しかも中国だけじゃなく朝鮮半島もかなり中毒しているというのは、これから本書で展開していきます。

なぜ豊かになっても民主化されない？

李　韓国の今日の発展は、アメリカの経済支援のお陰というより民主主義を受け入れたからですよね。豊かになれば民主化するのがこれまでの世界の常識だった。石さんにお聞きしたいのは、中国もすこしは豊かになっていますが、民主化されないのはどうしてですか？

石　アメリカ人もヨーロッパ人も以前からずっと中国の民主化を期待していた。中国の近代化を支援して、豊かになれば中産階級が大きくなって民主主義への意識が高まり、民主国家になると。でもいまは期待が完全に裏切られた。

特に２０１２年に習近平政権になってから、ますます独裁化の傾向が強まっています。その理由の一つは、習近平自身が大独裁者の毛沢東と肩を並べたい野望を持っていることにあります。もう一つは、私自身が１９８０年代、中国で民主化に情熱を燃やした人間ですけど、いまの時代では、中国のエリート層も知識人も一般の労働者も農民も、大半の中国人にとって民主主義や自由という価値観は別に大したものではないということです。

李　なるほど。

石　むしろ逆に中国人の伝統的な概念の中で、民主国家よりも独裁政権のほうが社会の安定を保って、安心して暮らせる意識が強いんじゃないかな。李さん、どう思います？

李　香港出身の人気映画俳優、ジャッキー・チェンは「中国には独裁が必要だ。中国に民主主義はなじまない」といった主旨の発言をしたことがあります。そのような認識をする人は知識人を含めて多い。それは、中国が広いからだと。国土を全部コントロールするには強権政治が必要だという発想ですが、確かにいまのままの国土や人口を抱えていれば、国を統制するためには強権が必要かもしれません。

しかし、そこが間違っていると私は思います。国が広くて統治が難しければ、分割統治すればいい。巨大な権力を必要とするのは統治者のみですよね。普通の人々は国のサイズなど関係ないですよね。幸せな国であればよい。スイスなどもサイズは大きくなくてもみんな自由でよい生活をしている。中国人は怒るかもしれませんが、中国も本当は小さい国に分かれたほうが国民は幸せになるんですよ。そうすれば民主化もできる。

石　同感です。鄧小平は若者たちの民主化要求に対して、こんな大きな国を民主化したらバラバラになるぞという言い方をした。問題はここですよ。いまの中国という大きな国をまとめるためには独裁政治をやるしかない。しかし、李さんが指摘されたように発想を変えて、大きな国をやめて、小さい、いろんな国になれば、例えば李さんが生まれた東北地域は一つの国として十分成り立つでしょう。わが四川省もそう。四川省は1億人いるのですから。

李　昔の蜀（しょく）（現在の四川省成都市付近）のイメージですね。

石　「四川共和国」ができたらイギリス、フランスよりも大きい。まず発想を変えることができるかどうかが、中国の民主化の大きなポイントです。

李　なぜ中国人は大きい国がいいと思っているのでしょうか。中国は十分大きいのに台湾を自分のものにしたい。香港はもはや自分のものになっているにもかかわらず、誰も欲しがらない土地にして、完璧に自分のものにした。それでも足りず、もっと下のベトナムから、さらに下の小さな島まで自分のものにしたいのはなぜなんでしょうか。

石　エリート階層、為政者たちには常に昔からの中華思想の考えがあります。中国皇帝を中心にして同心円的に広がる世界です。中国は国を一つにまとめる宗教がないでしょう？その代わりに「祖国統一」が一種の宗教となっていて、これが民主化する大きな妨げになっている。

もう一つは、中国人の公の意識の欠如です。中国人は昔から大家族を中心に一族の利益しか考えない。この公の意識がないからこそ、権力をもって社会全体をまとめる以外にない。権力が崩れたら自分たちの意識で社会の共同体をつくることはできないんです。

李　石平さんが仰るように、思いやりがお互いにないんですよね。厳しい自然の中で余裕がない。ずっと戦って、一歩出たら生きるか死ぬかの世界ですから。

石　結局、人間社会は2つのまとまり方しかない。一つは、みんなが一つのルールを守ることで社会がまとまる。もう一つは、誰もルールを守らないから権力者が力をもって守らせる。日本のバス停では十数人がちゃんと並ぶでしょう。その場に警察は必要ありません。中国では、バスが来たらみんな一斉に乗ろうとするから乗れない。そこで力のある人間が秩序を維持するしかない。だから民主化にならない。

李　あわてなくても座席は残っているとわかったら競わなくなるのか。中国人はなんでそこまで急ぐのでしょう?

石　理由は人間不信にあると思います。列に並ぶというのは、ほかの人も並ぶという前提があってこそ。自分が並んでもほかの人が並ばなければ意味がない。一種の社会的信頼感があって初めて各人はちゃんと並ぶ。しかし中国人は、最初から「こいつらは絶対並ばない、絶対先に行く」とお互いに思っているからそうなる。

李　一歩外を出たら、他人のルールだからそんなものは知るかいということですよね。

石　最後は力のある人間が「ここに並べよ。並ばなければ殴るぞ」となる。

李　石さんはそういう社会を変えようとして、1980年代に民主化運動をしていたのですか？

石　そこまで深く考えていません。むしろ独裁に対するアンチテーゼとして、一種の理想的な民主主義を理念として持っていました。

李　当時、私は上智大学にいましたが、イギリス人で香港領事を務めた先生が私にこう言いました。「中国の学生はなぜ引かないのか。韓国みたいにいっぺん引いて、また（デモに）出ていけばいいのに。最後まで権力を奪おうとしたからそうなったんだ」と。私はこの人は変なことを言っていると思ったけど、当時、趙紫陽が天安門広場に来て「帰りなさい」と言ったときにいったん帰って、またやったりしたら結果は違ったかもしれませんが、そのときも民主化運動が挫折したのは歴史的必然でしょうか。

中国には韓国やほかの国のように民主化がいいという価値観が根付いてなかったし、民主主義を理解していなかった。当時、学生たちが趙紫陽の話に従って、イギリス人の先生が言うようにいったんは引いたらどうなったか。それで許されたかというと、そうでもないかもしれません。

石　中国人には長い歴史の中で、一歩引いたら全て終わりだという考えがある。権力者にしても対抗者にしても、譲り合うとか一種の妥協の精神がない。民主主義はある意味では保守的、妥協的なものでなければならない。結局、妥協し合った上で一種のコンセンサスをつくれるんです。中国は歴史の中でそういう精神が欠けている。中国の政治的闘いは、何千年も「おまえが死ぬか、おれが死ぬか」でやってきたわけですから。中国の民主化は残念ながらもう無理かなと思います。

李　無理ですか。

石　民主化を目指すならば、中華思想を完全に捨てること。大中国をやめる、中国そのものをやめる。四川は四川だけでいい。東北は東北、上海は上海、北京は北京だけでいい。

李　そうするとみんなハッピーになりますか？

石　ハッピーになります。もう一つは、お互いに尊重し合うような、公の利益を守る。この2つの意識を育てないと、結局、頼りになるのは皇帝、権力者になる。

李　これは全て中国にとっては無理のような感じがする。

石　われわれの目の黒いうちは無理ですね。

李　石さんが中国に戻って民主化運動をするのはどうでしょう？

石　いやいや。日本に骨を埋めるつもりですよ。

李　中国の方たちに任せましょう。

石　任せましょう。

中国は韓国を軽く見ている

李　韓国は中国に毒された話に戻ります。韓国の昔の知識人は、漢字や漢文学を知っていることが本当に自慢でした。日本で英語がペラペラになった人が、「それなりに私は英語ができる」と自慢するというようなレベルじゃない。

石　文化の頂点に立っている、というレベルですね。

李　漢字を知っている自分は文明人で、知らないあなたたちは野蛮人という認識があった。私は新聞の歴史を研究していますが、韓国では近代に入っても新聞という存在を知らなかったんです。

日本で新聞創刊のブームが起こる１８７０年代まで韓国には新聞はなかった。そんなとき、香港で発行されている新聞に「征韓論」に関する記事が載っていましたが、韓国は中国を通してその新聞を入手し、日本が正式に韓国を征伐すると思っていたらしい。韓国の官僚たちは、漢字は読めてもそのときまで新聞というものが何かを知らなかったから。

石　政府の公式文書と新聞との違いがわからないか（笑）。

李　それでいまの江華島（こうかとう）という仁川（インチョン）の沿岸部にある島で日本の官僚に会って、日本に抗議する場面が日本の外交文書に出てきます。その後、韓国で新聞がつくられるのは1880年頃です。皮肉なことに韓国で本当の意味での新聞をつくり、しかもハングルを公の意思疎通の手段として用いたのは日本人でした。

当時、日本では文明開化が進んでいたから、韓国の若い知識人の中には日本のように文明開化を急ぐべきだという人もいました。そのような若い人たちは来日すると大概、慶應義塾創立者の福沢諭吉先生を訪ねて教えを仰いだそうです。福沢先生のところへ行って、「先生、韓国ではどうすれば日本のようになりますか」と聞くのですが、先生は「3つのことをしなさい」と。新聞をつくりなさい、教育を興（おこ）しなさい、軍事を興しなさいと。当時、韓国は私塾だけで、日本のように小学校はなかった時代なんですね。そこで、新聞をつくるのに福沢が自分の弟子2人を送り込むんです。そこでつくったのが1883年に創刊された朝鮮初の近代的新聞「漢城旬報」です。最初は漢字だけでしたが、その後につくられる「漢城周報」に、なんとハングルを使った。

石　ああ！

李　「創刊の辞」にね。新聞は宮廷の何人かが読むものではなくて、一般に広く読ませるためのものだと、当時の韓国人はわからない。そこでハングルでつくるんですが、私から言わせると、これが韓国の歴史で初めてハングルが正式に認められた事件ですね。

石　なるほど。李氏朝鮮第４代国王の世宗（セジョン）のときにつくっても意味がない。

李　外に出ない金持ちの家の女の子が使うことばだとして、知識人は使わなかった。ハングルはすぐ学ぶことができて使えるんです。韓国語ができる人は、一晩あればハングルはマスターできるほど学びやすい。そこで一般の人がハングルを習って王様に上奏文を送った事件がありました。

石　事件か（笑）。

李　この事件があってから、字を一般の人も書けるようになると大変だとなったんでしょうね。だから、ハングルは正式な文章を書く文字としては認められなかった。そのあと何百年も経って日本人が朝鮮半島に入り、初めてハングルを使ったんですね。

ハングルの文法を整えたのも日本人だったと言われます。そこからハングルが普及していくので、このような近代の歴史を韓国ではどう評価するのかが気になりますが、いまのところ、韓国の多くの人々はこのような歴史事実すら知らない。知ろうとしません。つまり、韓国人が野蛮な文字として軽蔑し、使わなかったハングルを整理して使わせたのは日本人なんです。韓国のほとんどの近代文明は日本が持ち込んだんですよ。

しかし韓国の人々は、漢字は文明の証でハングルは野蛮人のものだという意識がずっと根付いていた。だから中国を大国として慕う知識人の意識は根強いものがあって、文在寅ですら「韓国は小さい国ですから」と言ってしまう。馬鹿でしょう?

石 だからこそ、中国に頭が上がらない。中国に常にひれ伏す。その対照として韓国は日本に傲慢になるんです。

李 だから逆に韓国と日本に対する中国の態度を見ていると、韓国は完全に子分ですよ。中国は韓国を非常に軽く見ている。中国に従順であればあるほど馬鹿にする。

石 中国人の本音は、反日感情があって一部の日本人を憎たらしいと思っている。でも本心のどこかで日本に対する敬意がある。やはり日本人はすごいなと。でも残念ながら、中国人は人種差別的に韓国人を軽蔑している。われわれが普通の生活を送っていてもわかります。韓国人に対して普通の中国人の口調が全然違う。最も人種差別的な感覚を中国人自身が持っています。

李 最近こそ韓国はサムスン、LGなどの大企業グループが中国に進出していて、韓国はすごいなという印象はありますが、2000年の間ずっと、中国からは野蛮人の中ですこしかわいがられる程度の存在でした。

石　中国、日本、韓国はすごく複雑な三角関係ですよね。中国人は日本人に対してある程度、敬意があって敵意もある。中国は韓国にはかなり上から見下ろす。韓国は中国に頭が上がらない。その代わり日本に対しては上から目線で見る。日本は中国、韓国に対して複雑な感情があって、それが一つの東アジアの世界となっている。その中で日本が直面しているのは、近隣の中国と朝鮮半島です。この２つの国から逃げることは当然できない。ですから、この２つの国とどういうふうに付き合うか、どう対処していくか。そのためにまずは相手を知るということで、これから李さんと中国、韓国の文化が日本とどう違うかを展開していきたい。

第2章

中国に「やさしい」はない

中国語に「やさしい」は存在しない

李　中国、韓国、日本の文化は似ているようで違うと思いますが、石さんはどう思いますか。その違いは、何を基準に判断しますか？

石　私が外国人留学生として日本に来たのは26歳のときですから、すでに私は中国である程度の価値観がつくられていました。中国でいろんなことを勉強して体験していたわけです。そういう人間が最初に日本を見るとき、おそらく李さんも同じでしょうが、中国と比較しながら見ます。

李　そうですね。私も比較して日本を見ました。

石　もちろん中国には長い伝統から育(はぐく)まれた文化の蓄積があって、なんでも駄目、悪いというわけではありません。しかし、やっぱりわれわれにとっての中国、少なくとも私にとっての中国は「失敗した中国・堕落した中国」です。特に共産党政権になってから一党独裁の下で酷い人権抑圧があって、文化大革命の時代には文化と人間性に対する前代未聞の破壊がありました。中国はこれで完全に駄目になって堕落しましたが、こんな中国を体験した私たちは常に、中国がどうしてこんなふうに駄目になったのかと考え、日本と比較して見たわけです。

つまり私は１９８８年に日本に来てから、いつも中国との比較の視点で日本の姿を見るのです。中国の欠けているもの、悪い部分を日本と比較することで発見するわけですね。もっとも、表面的なことといえば、例えば中国人はあっちこっちでゴミをポイ捨てしたり、痰を吐いたり、電車の中で大声で話したりしますが、普通の日本人はそんなことはしません。こういう日本人の姿を見て、自分の出身国の中国の問題点を見出すのです。これはおそらく李さんと共有できる視点の一つだと思いますが、どうでしょう？

李　私の場合は、両親の出身地である韓国・慶尚道（キョンサンド）、私が生まれ育った中国・黒竜江省（こくりゅうこう）の村、そして帰化した日本と、３つの国をいつも比較しています。

石　私は中国・四川省の成都で生まれ、両親は２人とも大学で教師をしていました。しかし、私にとっての本当の中国は大都会の成都でも北京でも上海でもなく、４歳から８年間暮らした四川省の山村です（後述）。ただ、３つの国を比較する李さんは、私より視野が広いですね。

私は日本に来て30年以上経ちますが、最初の頃に驚いたのは、日本人は普通に「あの人は心やさしい」と言うことです。最初は深く考えていませんでしたが、これを意識するきっかけがありました。

それは神戸大学への留学時代のことです。私と同じ四川省から来た後輩の女子留学生と親しくなって、彼女から電話で「彼氏と別れようかなと思っている」と相談を受けたんです。私も彼女も当然、中国語の方言としての「四川弁」で話していましたが、彼女がひとしきり彼氏の悪口を言った後、未練があるのか「やっぱり彼はやさしい人間だと思う」と言ったのですよ。彼女はそれまでずっと四川弁で話していたのに、「やさしい」ということばだけがなんと日本語だった。文字に起こすとこうなります。

「我覚得他還是一個很やさしい的人」

つまり彼女は、四川弁で中国語を喋(しゃべ)っている文脈で、「やさしい」という日本語の単語をその中に挟んだのです。

李 そういえば「やさしい」ということばは中国にはないですね。

石 ないんです。

では「やさしい」は中国語でどう表現されるのか。中国のトップクラスの学者が編纂(へんさん)した『日中辞典』(上海商務印書館)という辞書があります。日本語を中国語に翻訳するものですが、その辞典で「やさしい」という項目を開いたら、この一言のために中国語での解釈が山のように書いてある。中国人が使う辞典ですよ。「やさしい」という日本語を解釈するのに10個以上の中国語の単語を並べている。しかもその単語は「善良」「寛容」などと、みんな素晴らしいことばばかり。もしこれら全てのことばを人に使えばもう聖人君子、という最高の褒めことばばかりなんですよ。

李　一言では説明できないわけですね。

石　そう。要するに10個以上の中国語の単語を並べないと「やさしい」を説明しきれない。

李　そもそも中国人は厳しい社会を生きてきているので「やさしい」ということばをつくれなかったんでしょうね。中国のような社会では「やさしい」気持ちを持っていたら大変な目に遭う。ないほうがよかったんでしょうね。それでいいのでしょうけど（笑）。

　日本人のやさしさは中国人にはわからないと思います。例えば、日本の方はおみやげに、そんなに高価なものを選ばないですよね。一方、中国では、おみやげでもなるべく高価なものを贈ります。日本人には、高価なものを贈ったら相手に負担がかかるだろうと配慮する心がある。これも日本人のやさしさだと思います。

　また、こんなことがありました。日本に来て1年も経たない頃、近所に親しくしているおじさんがいて、家に遊びに行ったら、おじさんが一生懸命に自転車を磨いていたんです。自転車で旅行でも行くのかと思ったら、隣の家の人にあげるためだという。

中国では絶対にそんなことはしません。人にあげるにしても、汚れたまま「持って帰れ」と言うでしょう。しかし日本人は、汚いものを贈ったら相手に不愉快な思いをさせてしまうとか、あるいは押しつけるような感じがするからでしょう。だから、きれいに磨いたりするわけです。

中国出身の私たちからすると、そのような行為はやさしさではなく相手が自分と距離を置こうとしているのではないかと感じてちょっとさびしくもありますが、日本人はそういうやさしさを持っている。

石 まさに文化の違いですね。

李 はい。文化の違いは心の持ち方や習慣に現れることもありますが、普通は外見というか、目に見える部分で現れることが多いですね。日本の街を歩くと、街並みが灰色で非常に古びた感じがします。存在感がないと言えばよいでしょうか。自分を強調しない。しかし、それは自然に対するやさしさだと僕は思うのです。日本は自然の美しさを大事にしているから自然との調和を考える。例えば建物がけばけばしい赤色の柱や黄金の装飾を施してしまうと、その前の木や桜や紅葉がきれいに見えないからではないか。日本の「つや消し」文化は結局のところ自然に限りなく近づけようとする努力の表れだと思います。

自然のものというのはどこかが非対称的であり、無秩序であったり、人間がつくったものに比べると目立つこともない。だから日本の古い建物の多くは自然色が多い。色を使う場合でもちょっと控えめな色を使ったりする。神社は別かもしれませんけどね。日本では韓国、中国と比べると原色を使うことが少なく、赤でも自然に限りなく近い色を使ったりしていますね。でも中国の宮廷の赤い柱や、韓国の宮廷の装飾は色が濃い。これは文化の問題ですね。

「文化」というのは解釈の幅があまりにも広く、定義を１５０くらい挙げている学者もいます。しかし、私なりに整理をすると、文化には私たちの目に見えるものと見えないものがあると考えます。例えばお相撲さんの部屋の伝統やしきたり、守らなければいけない規則のような目に見えない「文化」がありますが、それが「文化現象」という目に見えるものをつくり出します。

では、伝統やしきたりは誰がいつ、つくったのか。そこからそれぞれ違った文化ができてくるわけです。ですから私は、大雑把に言えば、文化は三層構造になっていると考えています。見える部分と、その現象をつくり出すシステムのようなもの、それから、そのシステムを形づくる価値観。この三層構造です。

石　広い意味での「文化」とは「文明」ということばに近いかもしれませんね。民族の考え方、社会システム、宗教、芸術、美意識、道徳倫理、生活様式、目に見えるものと見えないもの、両方を含むと思います。

そして、李さんのお話にあったように、文化の根本にあるのは価値観ですね。

いつも誰かを騙さなければいけない

石　中国との比較において日本を見ると、中国の欠点、駄目なところが日本では見事に正反対ですよね。例えば政治制度にしても、中国はいまでも独裁、われわれが生まれた時代も独裁。日本は少なくともわれわれが日本に来た時点ですでに普通の民主主義国家です。

また、例えば中国ではいつでも誰かに騙されるのを警戒しなければならない。あるいは生きていくためにいつも誰かを騙さなければいけない。でも、日本では普通に生きていれば、そんなことをする必要がない。まあ、たまに最近、私は女房を騙すことが全くないとは言えないけど。

李　なんで女房を騙すの（笑）。

石　その理由は言えませんが、女房は別として（笑）、日本ではお互いに騙す必要は全くない。そうですよね？　でも、中国ではそうはいかない。

李　常に緊張している。

石　そう。そういうふうに、私は来日当初、われわれが生まれた中国の醜い面、失敗したものを日本で徹底的に見たわけです。

もう一つ、当時の日本を見て思ったのは、中国にとって、当時のわれわれにとって、中国の現実の中で理想的なものが、日本では普通のことになっていましたね。

例えば自然に対する態度にしても、最近でこそ、上海でも花見をするけれども、かつて中国では、花を愛(め)でたり、美しいものを鑑賞するのは、漢詩の世界の中に理想化された雅(みやび)な文人たちの世界でした。だから、日本に来て初めて花見をしたとき驚いたのは、一般のおじいさんもおばあさんも兄さんも姉さんも普通に花見をしているということ。

李　中国では花の鑑賞といえば、昔は知識人に限られていたり、歌を歌ったりショーをやったりする特別なものでしたからね。中国の学者は琴棋書画(きんきしょが)といって楽器と……。

石　琴と囲碁と書と絵ですね。

李　そう。碁を打ち、絵も描く。それは中国では特権階級の金持ち、しかも生涯なんにもしない一部の知識人の専有物なんだけど、日本はそれが普通の生活のいたるところに根付いている部分がありますよね。

そういう中国や日本、それぞれの文化をつくっている価値観というのは、何をいいと思うか、悪いと思うか、善し悪しの判断基準だと言えますよね。それなりの基準があって、悪いことはなるべくせず、いいことはするから、それが長い歴史の中で文化として表れてくるわけです。最近の中国は人権問題もあるし、独裁的なやり方で、人々が伸び伸びと生活できない状況ですが、それは最近始まった話ではなく2000年以上にわたってずっとそうだったんですね。

中国の「理想」は日本の「普通」

李 日本に来ている留学生に一番の悩みを聞くと、「さびしい」と答えます。日本人はやさしいけれども、お互いに入り込まないでしょう。何かを差し上げたら「ありがとうございます」と礼を言うから日本に慣れてない留学生からすると、この人との人間関係はこれで終わりなんだと思う。韓国人からすると、このような日本人の対応は「情」が薄いからと感じる。なんと薄情かと。しかし、このような日本の習慣は、善意の解釈をするなら、それもやさしさなんでしょうね。相手が嫌がるかもしれないのに、必要以上に親しげにするのも、迷惑だろうと。

私のように30年以上も日本に住んでいると、日本の付き合い方のほうが楽だと感じるでしょう。日本の文化に慣れたのかもわからない。普段は互いに深く立ち入らないけれど、相手が本当に必要とするときは心の底から心配してくれる。ずっと変わらない姿勢で親しくできる。

石　人間関係について、昔の中国で理想的なものは、例えば『荘子（そうし）』に出てくる「君子の交わりは淡きこと水の如（ごと）し」。

李　君子の交際は、親しむけど馴れ合わない。水のように淡々としているという意味ですね。

石　実は昔の中国知識人もこのような関係を理想としているんです。しかし、中国社会全体で言えばやはり違う。普通の中国人は、すぐに関係をコテコテのラーメンスープのようにもっていくんです。腐れ縁の馴れ合いの中でも互いに騙したり足を引っ張り合うのです。君子の交わりはなかなかできない。

中国で理想としているものが、日本では普通の生活になっている。日本人の関わり方が君子の交わりのように淡々とした水のごとしだと。普通の日本人は、親しい友人関係であっても互いに節度を保ち、一定の距離感を持って付き合うのですから、過度な馴れ合いもなければ、逆にそこから生まれる無用な摩擦も少ないのです。

李　春秋時代の思想家で儒教の祖とされる孔子（紀元前551～前479年）が言っているのは理想的な人間関係なんですね。孔子もいいことを言うんですね（笑）。

石　李さんが仰った、留学生たちが時にはさびしさを感じているのは、淡い水のような関係だから。反対に、中国人の悪いところはお互いに騙し合うときは騙し合い、突然、友達になったら……。

李　「きょうだい」ですからね。

石　お互いの距離感をいきなり全部つぶして、無分別にめちゃくちゃなコテコテの関係ね。しかし長くは続かない。無分別な馴れ合いからは必ず反目やつまらないいざこざが生じてきます。あるいは最後に「おまえのものはおれのもの、おれのものはおまえのもの」になると、次にやってくるのは人間関係の破滅です。

李　実は日本の方たちが中国文化は素晴らしいと言います。例えば『三国志』に登場する劉備玄徳が「生まれるときは一緒に生まれなくても、死ぬときは一緒に死ぬ」と誓うでしょう。理想でいえば、それは素晴らしいことですね。

石　そうそう、「桃園（とうえん）の誓い」の美談は日本でもよく知られていますね。

李　しかし、それができないから小説にしている。私はそう思う。そういう意味で韓国の人たちは中国に近いんですよ。すごく人懐っこいし、留学先で日本人と韓国人がすぐ仲よくなれるのは、韓国人はすぐ「兄貴」「姉貴」とか呼ぶから。日本では赤の他人をすぐ兄貴と呼んだりしないでしょう？　私も、本当に親しく長く付き合っている人でも面と向かって兄貴とは呼べない。でも韓国人は2日経てば兄貴と呼びます（笑）。

石　しかしだからといって、いざというときお互いに助け合えるかは全く別の問題。

李　どっちがいいか場合にもよるし、時代によると思いますが、どちらかというと私も石さんも日本の文化に合うのかも。

石　むしろ昔の中国人は感覚が日本人に近い。だから荘子も、ああいうごちゃごちゃな人間関係は嫌だから、君子の交わりは一種の願望、理想を含めて「淡い水であるべし」と言ったんじゃないか。あまりにも実生活の中で嫌になる。兄や弟がやってきて、家に入ったら相手の都合も聞かずに、「今夜飲むぞ」と（笑）。そういう付き合い方はみんな疲れるんですよ。

李　疲れますね。

石　日本では同僚であっても割り勘をすることはよくある。でも中国的な考え方は、割り勘は冷たいじゃないかと。だから友人や同僚同士の飲み会では、終わったところで皆が競って「きょうはおれが払うよ」というのは普通の風景です。だからいまでも、日本流の割り勘文化になじまない中国人は大勢いますね。

李　最初は私も慣れなかったけどね。ごちそうになってもずっと気になるし、払ったとしても向こうは今度、それを返さないとお互いに負担を感じる。日本ではそれこそ「水の如く」の付き合いです。

石　食べるときや飲むときは親しく付き合う。それで終わって割り勘をすると、誰も心理的負担を感じない、負い目もない。招待されて次は何か考えないといけないとかはなく、きれいさっぱりに終わる。

一方、中国人は、割り勘は水くさいと思っている。中国人は変なところがあって、競って払おうとする。しかし心の中では計算していて、「きょうはおれが払う、次はおまえだ」と。逆に払われた人は負担を感じて、そういう人間関係は、おそらく中国人自身も一種の煩わしさ、負担を感じていますよ。

ものづくりはいい加減

李　私は常に孔子の悪口を言っていますが（笑）、孔子は礼を大事にする。これも日本社会に根付いていています。中国が現実にはそうなっていないから、孔子が理想を言ったのかもしれない。日本の文化を説明するときによく使いますが、日本は例えば書を書くときは「書道」という。柔道、神道、武士道などと「道」をよく使う。しかし中国は書道のことを「書法」と言うでしょう。

なぜ日本は「道」をよく使うのかということだけど、その分野のあるべき姿であり、あるべき道なんでしょうね。それを極めていくことが日本の文化の神髄だと思っている。日本は全ての分野で一番理想とする境地があるんですね。

日本の文化の特徴的な部分は、全ての分野にその道で生涯ずっと極めようとする、とにかくいいものをつくろうとする姿勢です。そういうものが「道」から派生したのではと感じます。日本の小説で知りましたが、昔は女性との付き合い方に関しても、極めるための「道」があったんですね。

石　もっとざっくばらんに言ってしまえば、昔の吉原遊郭にも道があり、ちゃんとしたルールと文化がありました。花魁（おいらん）になるための稽古は煩雑で、作法を一通り身につけるのに長い歳月がかかるのです。

李　日本はほとんどの分野にその在り方やルールがあって、携わる人々は最高の境地を極めようと努力します。

石　ここは非常に重要な点で、繰り返しますが、われわれは最初に日本で中国にないもの、あるいは欠如しているものに注目します。中国はものづくりはいい加減でちゃんとつくらない。つくったとしても品質が悪い。心を込めていない。これは技術だけの問題じゃない。心の問題です。ラーメン一つ取ってみても、日本の場合、ラーメン屋さんごとに自分たちの道がある。店主一人一人が、このスープの味をどうやって自分たちの独特なものにしていくか、この道を極めようとしている。

中国でこういう話があります。ある会社が鉄鍋を売り出すとき、中国の俳優が日本の職人になりすまして、片言の日本語で「われわれが心を込めて鍋をつくりました」と。それを聞いて中国人は、日本人は職人精神が強いと思っているから買うんです。だから、この会社は自分たちのどうにもならない鉄鍋を売るために、わざと日本人の職人が「心を込めてつくった」と言うと最大の宣伝になる。でもあとで中国人の俳優だとばれたんです（笑）。このエピソードから2つのことがわかります。日本の職人がすごいのは中国でもよく知られていること、鉄鍋の一つにしても中国人は日本人よりいいものがつくれないことです。

李　日本はいいものをつくるためにはコストや時間をあまり考えない気がする。中国は自分が使わないものであれば、なるべく安く……。

石　それに誰も自分がつくったものを使わない。

中国だったら絶対しない

李　そういう文化は普通の日本の生活でもよく見られます。例えば道路を工事するとき、車を誘導する人が必ず２人はいて、たくさんの人が働いている。無駄なお金を使っているなとは思うけれども、中国だったらもっと儲けるためにそういうことは絶対しない。でも日本人がコストをかけるのには理由があると思うようになりました。そのコストは社会全体にとっては必要で、公のためと思えば安いものです。交通渋滞をなるべく減らすとか、事故になる確率を減らすことは社会的なコストとしては必要ですし安いものですが、工事を請け負っている会社にはあまり関係ないといえばないですからね。１００回やって事故が１回でも起きたら、節約したコストが全部無駄になるでしょう。ただ、日本は、自分たちとは関係なく、社会全体の調和というかコストを考えていると解釈したんです。

石　計算された合理性を超えたところに文化がある。コストを節約するのは誰でもわかる。日本の企業はコストを削ることに素晴らしい努力をしているでしょう。しかし、コストだけじゃないところが大事です。日本の企業は、コストだけの視点でものをつくるのではありません。コストを重んじながらコストを超えたところでいいものをつくっているのです。

李　日本では適当なものは絶対つくらない。

石　よりいいものをつくる。コストの問題ではない。

李　それが「道」なんです。

石　道の背後にあるのが価値観です。われわれは最初は中国と比較しながら日本を見る。最後はどこにたどりつくかというと、中国との比較ではないところに、あるいは中国と比較できないところに、日本の文化の神髄がある。それが価値観なんです。

李　やっぱりそうなんです。だから日本では神の道、神道があるでしょう。私は深くは理解できていないかもしれませんが、日本では最高のものが神なんですね。お客さんを「神様」と言うのも、商売にとって最高にありがたい存在だから。

　日本にはいたるところに神が存在しています。全てのやり方に最高の境地がある。日本の文化に接して一番驚いたのは、死に方においても「最高の境地」を追求する文化があったこと。武士道のハラキリ（切腹）がそうですね。外国人からすると不気味に感じられるかもしれませんが、それは死ぬということに関しても、最高を極めようとして一番苦痛を味わうやり方を選択する。

石　日本の武士の生き方と死に方で、私が感心してやまないのは、その潔さと美しさです。武士道のバイブル『葉隠（はがくれ）』が記した〈武士道とは死ぬことと見つけたり〉という有名なことばからもわかるように、日本的な武士道の極め付きは「死に方」にあります。その極意は、決して一般人の死に方ではなく、武士として「いかに美しく潔く死ぬか」です。

そして武士には武士道があるのと同様、商人にも商人の道があるのですね。例えば客商売となれば、金儲けを超えた「もてなし」の精神があるのです。お客さんを神としてもてなす。お金を儲ければそれで終わりではない。お客さんに対するもてなしは、お金のために割り切るのと、本気でお客を大事にする心とでは全然違う。

以前、中国人男性が日本に旅行した際に書いた手記を読んでわかりました。その人は団体客として温泉旅館に泊まって、もてなしを受けます。しかし、あくまでも中国人の考え方として、この店がもてなすのはお客が喜んでまた来るからだと解釈した。全部割り切って考えれば商業主義や合理性だと彼は最初に考えます。日本のもてなしに感動しながらも、これが彼らの商売につながるからだと……。

生産現場の驚くべき映像

石　その手記を書いた中国人男性の価値観が根本的にひっくり返されたのは、バスに乗って帰る場面です。バスが走り出すと、旅館のスタッフが一列に並んでおじぎをする。ここまでは日本的で商業主義的でもある。そのあとバスはホテルを離れます。

車中から振り返ってもう1回ホテルの方を見ると、バスは離れているのにまだスタッフがおじぎをしている。演出ではなく、本気でやっている。彼はこの場面からいろんなことを考えるんです。さすがに中国の知識人は頭がいい。確かにどこの旅館でも金儲けは大事です。商売にならないとどうにもならない。しかし、彼が出した結論は「日本人にはそれ以上のものがある」と。全て金儲けのことだけを考えているわけではない。金儲け以上に本気でお客さんを大事にしている、というものですね。

李　だからラーメンを限りなくおいしくしようとするのも、その道を極めるためかもしれません。

石　悪く言えば道楽です。

李　テレビのグルメ番組で、店の板前さんが「お客さんの喜ぶ姿を見たい」とかよく言うでしょう。テレビの前だから言っているように見えるけど、本音だと思う。

これと正反対のエピソードがあります。最近（2021年3月）、YouTubeで見た映像が忘れられません。中国が韓国に輸出するキムチを、地面を掘ったプールで下水道のような水で洗う映像です。中国人男性が上半身裸になってその中に入るのですが、水が黄色く濁っていて、まるでトイレから出てきたような……。

石　やめて！（苦笑）

李　ほんと。さびたクレーンで白菜を引き上げ、それを混ぜてキムチにして出すんですよね。誰かが撮って投稿したものです。これは極端な例かもしれませんが、日本の文化との違いというか、自分の親戚（しんせき）とか息子とかが口にするような食べ物だったら、絶対にそんなことをしませんよね。日本の板前さんとかは、本当に自分の子供や親のためにおいしいものをつくる気持ちで出しているように見える。

石　逆に自分の子供には出さない。自分の家族には適当に食べさせる。お客さんには徹底的においしいものを出す。最後は経済的合理性が割り切れない、説明できないところ、そこが文化、最後のところ価値観です。

李　そうですね。

石　同じようにお客さんをもてなすにしても、心構えが全然違う。何度も言いますが、われわれのたどりついた結論は、これが日本の文化というものです。

李　ただ、文化を論じるときに警戒しなければならないのは、ある個別の現象があたかもその民族全体の文化だと思ってしまうことですね。例えばトイレの水より汚い水で白菜を洗い、その白菜でキムチをつくるのは中国文化だというのは言い過ぎですね。しかし、文化はまたそのような具体的な話でしか語れないですね。その場合、必要なのは、その国や民族が平均的にどんな意識を持っているかを見る必要がある。バランス感覚を失わず大多数の人々はどうしているかを見るべきです。そういうふうに評価する場合、日本と中国、韓国では、お客さんに対する考えや態度が全て違う。

私も旅行で日本を訪れる友達を連れて国内を旅することがけっこうあります。新型コロナウイルス感染症が広まる前までは、中国からのお客さんがたくさん来ていた。観光地のおいしい店を訪ねるといつも中国人・韓国人で一杯だった。店が混むときは待つ間によく日本人の働きぶりを観察するのですが、いくら忙しくても、お客さんがうるさかったり、急かしたりしても露骨に嫌な顔は見せない。もっと驚くのはサービスのレベルを落とさないことですね。もっと多く売るために手抜きをしない。飲食店ではきちんと席を整理してから座らせる。

私の感じ方かもしれないけど、外国人だろうが日本人だろうが全く態度を変えない。普通のウエートレスでも同じです。それは教育とか、研修だけで身につくものではないでしょう。私は大学でいろんな学生を見ていますが、なかには寝坊して遅刻したり、授業中に居眠りしたり、ダラダラ、チャラチャラしたりする学生もいますが、そのような学生でもアルバイト先では立派に働く。大学周辺の店でそのように一生懸命働く学生を見るたびに感心します。それは日本の文化というか伝統としか説明できないですね。

中国では、よく売れる店だったらすこし手抜きをしてでも適当にたくさんつくって出すけど、日本人は絶対にしない。

石　結果的に金儲けにもなって企業の永続性にもつながる。だから、日本は何百年以上も続く企業がたくさんある。文化について語りだすと、最後は価値観の違いにたどりつくのです。

日本流に生きるのは面倒くさい

李　ですから日本のものづくりは現代になっていいものをつくるようになったと思っている人たちがいるけど、150年前の日本人がつくった着物とかを見ていると、当時も手の込んだ最高のものをつくっていた。しかし、そのようなものづくりをする国は珍しいですよね。日本人はプライドをかけてつくっている。

石　ものをつくる人が、食べたり使ったりする人のことを思って一生懸命いいものをつくる。お客さんの気持ちを思って心を尽くす。昔なら武士は一応特権階級ですけど、武士であることの義務も伴います。いわば士農工商の社会の中では、人々はそれぞれの道を守って努力すれば、社会全体はうまく機能してバランスが取れるのです。

李　それぞれ道があり、極めようとする。

石　だからこの社会がうまくいくんです。

李　韓国や中国が日本と徹底的に違うのはそこなんです。中国人や韓国人は全部欲しいんです。

石　道と手段の違いです。中国人にとってはものをつくることは手段であって道ではない。お金が入るのが目的。お客さんは手段に過ぎない。中国人にしてみれば日本流の「道」は実に面倒くさい。例えば茶道。一杯を飲むために、いろんな手続きがあって作法がある。茶室にたどりつくまでも大変です。中国人からすれば、その道がいらない。茶屋に気軽に入って、出されたお茶を一口で飲んでしまえばこれで終わるのです。そこに文化はないんです。

李　お茶を飲むという人間の営みでいえば、その面倒くささを面倒と思わないことに意味があり、文化がある。一見つまらないものでも最高の境地をつくると、「文化」になるんですね。

石　中国人にとってお茶を飲むことはのどを潤す手段だから、そんな面倒な手続きはいらない。

李　おおげさに言うと、人間と動物の違い。

石　それはちょっと言い過ぎ。いろんな人から揚げ足を取られますよ（笑）。

李　いや、冗談でもあるけれど、日本人とか中国人とか関係なく、それだけをするなら動物だという意味ですよ。

石　そうかそうか。

李　人間社会の全てのものは、本当は余計なものが多い。日本の人たちは結婚式で１日

5万円や10万円もする着物を借りて着ていくでしょう。中国人はそんな無駄な面倒くさいことはしません。

石　そういうことにお金を使うより、もっとおいしい料理をたくさん食べさせたらそれでいいという考えです。

李　私が勤める龍谷(りゅうこく)大学の学生たちを見ても、10万円くらいする着物を1日3時間くらいの卒業式のために使うんですよね。しかし、実用的に考えると、10万、20万あったらもっといい服を買えるわけですが、それをわずか3時間のために使う。そのために一生懸命アルバイトしてコツコツとお金を貯める学生もいます。

石　そういう実利的観点、合理性、能率性で割り切れないところを大事にするかどうかで文化のレベルが違ってくる。

李　だから人間らしいのか、動物らしいのか（笑）。

石　まあ、それは言える。

李　本当に食べて生き延びるためだったら、どんどん食べていい。寒ければ分厚い服を着れば済むけれど、日本は生活レベルが高いからなのか、昔ながらの文化の蓄積が厚いからなのか、全ての分野でその道のやり方があります。

石　経済レベルや生活の豊かさとは直接にはあまり関係ないですね。明治期や幕末期の日本にはいまのような豊かさは当然ないのですが、その時代の日本にやってきた西洋人や中国人の旅行記を読むと、彼らの目から見た当時の日本では、貧しい農家でもみんなちゃんとしているし、身ぎれいにして部屋に花を飾って文化的なものを求めている。最後にたどりつくところが文化レベルの差とその背後にある価値観の違いなんです。

李　いつから違いが生じたのでしょうか。

石　それをこれから李さんと話し合いましょう。

第3章

諸悪の根源は中国的哲学

中国人は自らを苦しめている

李　魯迅という有名な中国の文学者が「灯下漫筆（明かりの下で随筆を書く）」という文章の中でこう言っています。「中国人はみんな奴隷になろうとしても奴隷にもなりきれない人生を送っている」と。そこには尊厳も何もないですよね。生き残るためには王様から「這い這いしろ」と命令されたら這い這いするし、「踊れ」と言われたら踊る。それをしなければ生き延びることはできません。

石　魯迅の言う通りですね。王朝における皇帝と臣下との関係はまさしくご主人様と奴隷との関係ですね。臣下というものは人間の尊厳がないだけでなく、命までが皇帝に握られています。理由もなく皇帝に殺されるならば、殺される前に皇帝に感謝しなければならない。「殺されるのも皇帝の情けだ」と。恩恵を受けたものとして、そう解釈するわけです。

李　皇帝から死を賜ったと。

石　官僚だけが奴隷ではなく、職人もそうですね。中国では職人も自分たちのプライドを持っていいものをつくるのではなく、皇帝に奉仕するためであって、結局、皇帝の付属品なんです。中国社会は秦（紀元前221〜前207年）の始皇帝以来、尊厳もプライドも持つのは唯一、皇帝だけが許される。宦官（去勢された官吏）は、そもそも尊厳もプライドもない。宮廷内の女性も全ては皇帝の愛玩物以外の何ものでもない。大臣たちは皇帝に奉仕する奴隷です。庶民にいたっては草の民となるしかない。人間の尊厳なんかあるわけがない。

李　日本で言う「草の根」とは全然違います。

石　草ほどの価値もないという……。

李　踏みにじるものだという意味です。

石　そういう中国にしたのは秦の始皇帝です。皇帝独裁の中央集権制をつくりあげたからです。始皇帝以前の春秋戦国時代では、自由人としてプライドを持って活躍した英雄が多くいたが、秦王朝以後はこういう人種が徐々に消えていった。皇帝独裁体制ができあがった結果、皇帝こそは唯一の自由人・主人となって、皇帝以外の全ての人々が人間としての自由と尊厳を失う。人間としての尊厳を失ったら、どんな卑怯、卑劣なことをしてもかまわない。「おれのプライドが許さない」といったことではないんです。

李　秦の始皇帝が、確かに皇帝以外は人間としての尊厳も何もないような制度をつくったけれども、結局、中国人は中国人によって苦しめられる歴史がずっと続いている。始皇帝が統治した後、違う皇帝に代わったり、違う政治制度に代わったりしても中国人はずっとつらい人生を送らなければならなかった。だから始皇帝以外に原因があるのではないか。その正体はまさに中国文化だと思います。

石 そうですね。中国独特な文化があるからこそ、始皇帝のつくり出したシステムが永続化したのですね。

李 ただ、これが2000年も続いたというのは、権力者のせいというよりもっと根深いものがあると思います。制度などは簡単につくり変えることができますからね。問題は制度を変えても同じことがずっと続くというのは一体何なのだと。それが私は孔子から始まったと見ています。

石 ここは李さんと意見が多少違いがあるから、あとで反撃させてもらおう（笑）。まずは李さん、どうぞ。

人を奴隷にするための教え

李 孔子が生きた春秋戦国時代は、まさに激動の時代で百家争鳴（ひゃっかそうめい）。いろんな学者が自分の主張を唱えてさまざまな「花」が咲く時代でした。私は中国の一番栄光の時代は、いまから2500年前の春秋戦国時代だと思う。

孔子は100もの学派の中の一人の学者だったらそれは立派ですよ。素晴らしい学者だったでしょう。彼は人間はどうやって生きればいいのかをずっと悩みに悩んで、「君子になれ」と。つまり立派な人間になれと言い続けた。そこで君子とはどういう人間ですかと弟子が尋ねると、愛を知る人間だと言います。ではどうやって愛すればいいのですかと聞くと、「難しく考えずに、家族を愛しなさい」と。さらに、家族を愛するにはどうすればいいのかと聞いたら、孝を唱えるんです。

石　「家族を愛しなさい」「人を愛しなさい」ということは決して悪いことじゃないですよね。

李　それがどんどん矮小化して、家族以外はどうでもよくなった。また、家族以外のことには首を突っ込むのを避ける。極端なことをいえば、他人を愛さなくなる。愛せない。中国という社会は、ばらばらになったというか、みんなが大事にすべき空間というか公の場がなくなってしまい、勝手に自分たちの利益だけを追求するから住みにくい。各家庭で一番力のある人が周辺を全部押さえて、自分の言うことを聞かせるという文化がどんどんできあがってきたのかな。

漢の時代には、一般の中国人を従順な民にするために、儒教、孔子の思想を都合よくつくり直して洗脳してしまったという部分がありますよね。

石　そうですね。

李　だから、秦の始皇帝以降のさまざまな思想の中で、中国皇帝が、国を統治するためにイデオロギーとしたのは儒教、孔子の思想に近いものなんですね。その中でも王様には絶対反抗しないとか、臣下は臣下らしくと。自分たちに都合のいい秩序をつくって、人を奴隷化してしまった。

しかも、違う思想を徹底的に弾圧したので、中国は春秋戦国時代の活発だった議論がいつの間にかなくなって、孔子の俗っぽい、しかも奴隷をつくるような思想だけが残ったので私は孔子を批判しているのです。

石　基本的に李さんと私の歴史観は、大筋でほとんど同じです。中国が駄目になったのは、まず始皇帝がそういう政治システムをつくって、さらに漢王朝になると、儒教というイデオロギーを固定化させた。ほかの考え方を弾圧して、儒教を「独尊儒術」で支配的イデオロギーに持ち上げたのです。要するに民を統治するための手段が儒術です。中国ではあまり「儒教」とは言いません。

李　人を奴隷にするための教えですよね。

石　ただし、私と李さんの考えが違うのは、儒教が、私からすれば孔子の『論語』とは全然違う。ご存じのように、儒教は前漢王朝の武帝の時代（紀元前１４１～前87年）に皇帝の権威を理論づけるためにつくりあげられた思想体系ですが、それは孔子の生きた時代からは３００年以上も経った後のことであって、生前の孔子は儒教とは何の関係もないのです。前漢時代の儒学者たちが先哲の孔子の名を借りて、孔子の名声を利用して儒教をつくりあげただけの話です。孔子と儒教とは関係のないことは、例えば儒教の経典である「四書五経」の中身を見ればすぐにわかるのです。

李　儒教の経書のうち特に重要とされる９つの経典ですね。

石　「四書」は、南宋（１１２７～１２７９年）のとき、儒学者の朱熹（しゅき）が打ち出した概念ですが、漢の時代（前漢は紀元前２０２～後８年、後漢は25～２２０年）の儒教の経典は「五経」であって「四書」はありませんでした。そしてこの「五経」には実は、孔子の『論語』は入っていないのです。

李　『孟子』の「三字経」は入っている？

石　『孟子』も五経には入っていません。春秋時代以前の経典です。本来、もし儒教が孔子の思想を受け継いだものであれば、儒教が成立したときの基本教典に『論語』が入っているはずです。しかし前漢時代の儒学者たちは儒教の理論体系をつくるときには、孔子の考えをまとめた『論語』を最初から無視しているのです。だから私からすれば儒教は一応孔子の名前を借りたけど、基本的に孔子の考え方というよりも、董仲舒（とうちゅうじょ）など、儒教をつくりあげた前漢の儒学者たちの考えなのです。

そして南宋の時代になって、朱熹が新儒教をつくりあげるために初めて「四書」を儒教の教典に入れた。その時、朱熹は、いわばアリバイづくりのために『論語』を「四書」に入れたのです。つまり孔子の『論語』が儒教の経典になったのは、孔子の死後から1600年以上も経ってからのことですので、孔子は儒教とは一体何の関係があるのでしょうか。

李　なるほど、漢の時代のね。

中国には「公」がない

石　儒教が前漢時代に誕生した背景はこうです。前漢以前は例の秦の始皇帝の時代でしたが、始皇帝が独裁で万民を全部奴隷化した。始皇帝は法家（ほうか）の思想に基づいて厳しい法律をもって万民支配をやっていましたが、それが過酷だったので、秦王朝はすぐつぶれたんです。紀元前２０９～前２０８年に起きた陳勝と呉広の農民一揆はどうして始まったかというと、陳勝一団が始皇帝のお墓の工事に徴発され……。

李　農民反乱軍の陳勝ですね。

石　はい。陳勝たちのグループが徴発されて建築現場に行きます。しかし、秦の法律では期限までに到着しなかったら、みんな死刑になってしまう。彼らが大雨で足を止められ、期限が過ぎるのは確実。どうせ殺されるならばとここで立ち上がるわけです。

そこで秦があっという間に崩壊した。漢王朝がその教訓を受けて、厳しい法律だけの統治には限界があるとわかりました。万民をただ奴隷として使うのではなく、心から奴隷になるような洗脳をしなければならない。そのために生まれたのが儒教です。皇帝の万民支配のためにつくりあげられた洗脳の理論装置ですから、孔子とはあまり関係ありません。

李　孔子が基にはなっていますけどね。

石　儒教によって、奴隷は心から奴隷になりたくてしょうがないというイデオロギーをつくりあげます。しかし、始皇帝がつくりあげたシステムの原点は戦国時代の法家・韓非の著書『韓非子（かんぴし）』です。百家争鳴の一派である法家の考え方が、人間はどうにもならないものので、このクズたちを厳しく鞭（むち）で管理するというもの。

李　だから春秋戦国時代にいろんな議論があった。人間は生まれつき善良か、そもそも悪を持って生まれたのかと議論が分かれていて、大雑把にいえば、それが中国思想の出発点だった。始皇帝の政治というのは、人間はそもそも悪いものだから厳しい法律で統治しなければならないということですよね。

石　しかし最後に奴隷たちが追い詰められて造反する。造反させないためにはどうすればいいかというと、儒教的な方法があります。

李　それが２０００年続いた。

石　中国の歴代王朝は２つの方法で草の民を治めました。一つが鞭。万民がちゃんと皇帝の権威に服従しなければ鞭で打つ、無理やりに皇帝に服従させるのです。もう一つの方法は儒教的なものです。皇帝が天の子として天の意思を代弁しているから、万民が皇帝に服従しなければならない、そして皇帝に服従することによって万民がその恩恵にあずかって天下太平を享受できるのです。いわばアメとムチの統治術ですが、それが現在にいたるまで受け継がれています。毛沢東時代の「皇帝」は毛沢東しかいないが、いまの「皇帝」は習近平なのです。共産党員だけでなく国民全員は「習近平皇帝」に平伏してその権威に従うべきなのです。

しかし、その結果、共産党幹部を含めた全ての人々が習近平の奴隷、家来となるのです。そして、個人の尊厳を持つことを奪われた人間たちは堕落します。どうせプライドも何もないから、姑息な手で自分の利益を獲得するしかない。こうして共産党幹部全員が汚職・腐敗に走るのです。

始皇帝がつくりあげた体制の中で、もう一つが中国には「公」がないということ。まさに李さんが仰った大事なことです。あの体制の中では天下国家が皇帝の私有財産となっているからです。国家は皇帝とその一族の私有物であって公ではない。皇帝からしても公というものは存在しない。公は自分のものですからね。

李　庶民からすると自分以外のものは他人事なんです。王様、あるいはそっちにいる権力者のものだから。

石　そして、天下国家は所詮皇帝一族の私有物ですから、官僚たちは誰も天下国家のために頑張ろうとは思いません。みんな自分の利益しか考えない。官僚たちは皇帝の権威をかさに賄賂を取ったりして私腹を肥やしている。皇帝も、官僚は自分の利益しか考えられないことがわかっているから、お尻を叩くのは当然です。

李　だから中国で天下のこと、すなわち公を心配するのは特別な部類の人間ですね。小説に登場する「俠客之士」、つまり流浪人。彼らが悪を罰したりする。

石　本来なら公的権力が行使すべき役割です。

李　中国の小説『水滸伝』や『三国志』に登場する人物は、英雄として描かれていますが、実は彼らが公のことに首を突っ込んでいる。

石　『水滸伝』に登場するヤクザたちのスローガンは「天の代わりに道を行う」。要するに、正しい道、公の正しい政治はヤクザがやるよと。皇帝と王朝は、万民のための正しい政治を何一つやってくれないから、ヤクザが代わりにやるのです。日本でヤクザのことを「任(にん)俠(きょう)」と表現するのは、ことばの語源としては正しい。公のために頑張っているのが任俠ですから。

李　いまはそういう人すらも公のことを考えずに自分のことだけになっていますけどね。

「孔子のつぶやき」

李　石さんは哲学を北京大学で学んでいますので、私は本当に及びません。

李　いえいえ。

李　中国の哲学は大学でどんなふうに教えられるのですか?

石　いまでもそれほど変わっていないけど、中国は共産党の国ですから当然、哲学はマルクス主義を中心に教えられます。ただし、マルクス主義を理解させるためには、ヘーゲルやカントのドイツ哲学、イギリスの経験論、フランスの空想的社会主義など、いろんな要素を取り入れて、中国の哲学史も勉強します。

李　孔子は教えない？

石　孔子の思想は「中国哲学史」のほんの一部として教えるのですが、北京大学での４年間、正直あまり勉強していません。いろんな本を読んで夢中になったのは民主化運動でした。

民主化運動のためにフランス革命に関する本を読んだり、ルソーを読んだりして過ごしました。むしろ中国の哲学、あるいは西洋のいろんな哲学をもう一回勉強し直したのは日本に来てから。日本は文献がいっぱいあるでしょう。唯一、私にとって基礎になったのは、４歳から12歳まで祖父のもとで育った頃です。祖父は密かに四川弁で『論語』を教えてくれた。いや、暗記をさせるだけで意味は一切教えなかった。例えばこんな具合です。

〈君子和而不同、小人同而不和〉（君子は和して同せず、小人は同じて和せず／訳・できた人物は他人と調和をするが、他人に媚びたり流されたりしない。くだらない人間は他人に媚びたり流さ

れたりするが、他人と調和することはしない）

〈興於詩、立於礼、成於楽〉（詩に興り、礼に立ち、楽に成る／訳・詩を読んで奮い立ち、礼を習って社会的自立をし、音楽を聴いて教養を完成する）

李　四川弁は、なかなか聞き取れない。四川省出身の鄧小平のことばすら聞き取れません。

石　とにかく祖父のもとでは四川弁で『論語』の短いことばを覚えさせられただけで、意味は全くわかりませんでした。祖父がそういう形で私に『論語』を叩き込んだのですが、いまになって何か生かされている感じです。

李　私も深くは知りませんが、孔子は人間としてどういうふうに正しく生きるべきかということをみんなに教えようとして、政治も「こういうふうにすべきだ」とか言っていた。当時はそれでよかったと思うけど、いまは孔子の思想は、私はあまり賛同しません。孔子が中国を駄目にしていると思っています。

石　孔子という人間は人生経験が豊富で、本をたくさん読み、多くの若者たちに慕われていた。弟子たちを集めて「おまえはそうしたほうが人生が豊かになるよ」「そんなことをしたらひどい目に遭うぞ」などと、人生のさまざまな知恵を授けるような言い方をしている。

孔子のことばは思想として読むというよりも、一種の知恵者の年寄りが人生経験を語るようなもので、それが『論語』です。まあ、あの場この場で語った雑談ですよ。

李　そうですね。孔子が言っているのは雑談です。それを弟子たちが先生のことばとして書き写した。

石　理論的整合性もなければ中心的テーマもない。その場その場でいろんなことに関しての感想に過ぎません。いま風に言えばツイッターのことばを集めたもの。要するに「孔子のつぶやき」です。孔子の死後、いろんな人々が孔子のことばを利用してきた。前述のように、儒教をつくりあげたのは前漢時代の儒学者たちであって、彼らの考えは孔子には関係ない。

李　ただ、孔子がきっかけで中国の文化はがらっと変わったと私は思っている。それまで中国人も天の存在を恐れていた。しかし、孔子はいまでいう進歩的な学者だったから、人間が正しいことをすれば、天を恐れる必要がないとたぶん思っていた。しかも天子は人間社会を治める資格がある。特に立派なことをする天から授かった子供だから。その代表的な人物が周の時代の誰でしたっけ？　孔子がいつも夢にも見ている人。

石　周公。

李　そう、周公です。彼のような人間が天下を治めればよいと。

石　なるほど、なるほど。

李　それが基本なんだけれど、問題はそこで中国の人は人間以外の存在を恐れなくなった。いまの中国はそこが問題なんです。毛沢東は「天と戦ってその楽しみは尽きず、地と戦ってその楽しみは尽きず、人と戦ってその楽しみは尽きない」と言ったけれど、これも言ってみれば現世をどう生きるかという考え方ですね。しかし人間は、死んだあとどうなるかとか、生まれる前はどうだったかとかに全く関係なく生きると、なんでもやっちゃうんですね。死んだらもう終わりという考えが中国を駄目にしたと思う。

孔子の弟子の曽子（そうし）が「先生、人間は死んだらどうなるんですか」と尋ねます。孔子は「いまどう生きるかも知らないのに、死んだあとどうなるか何がわかるんだ」というふうに答えます。つまり「いまを精一杯生きなさい」ということなんだけど、いま自分が生きている世界だけを生きるとなれば、人間は本当に悪いことをしますよ。

石　そこが李さんの根本的なご指摘だと思う。中国の行動原理を見ると、絶対的な信仰がないから道徳倫理の絶対的基準がないのです。キリスト教は神様の命令そのものが絶対的であって、イスラム教も当然、アラーの神が絶対的な道徳律です。カントいわく、道徳というのは絶対的なものの上に存在する。日本でも昔は、駄目なものは駄目、理屈はいらないとわかっていた。

李　そうですね。

石　それが絶対的な善です。しかし、孔子はそんなものには全く無頓着で、むしろ融通無碍（ゆうずうむげ）に、適当に考えている。しかし問題は、孔子そのものではなく、中国から絶対的なものに基準を置くという考えがなかなか生まれてこないことです。

孔子を聖人に祭り上げた罪

李　いまの中国の根本問題は何だと思われますか？　なぜ中国が生きにくい社会かというと、アメリカが圧力をかけるからというのでもないんですよ。誰かが中国人を責めたりしてはいない。問題は中国人自身が中国人をつらくさせているというか、生きにくい社会にしているということ。中国文化そのものが中国を生きにくい社会にしているというか。

これはいい、これは悪いというのは価値観ですけれども、その価値観に見合った文化が生まれます。例えば昔の中国には纏足（てんそく）（女性の足を小さく変形させた風習）の文化がありました。当時の人々はいいと思ったのかもしれませんが、いまは中国で纏足になる人はいません。そういう価値観はどこから来たのかというと、神様はどう思うかとか、どう生きるべきかとか、それが哲学といえば哲学だし、宗教観といえば宗教観ですよね。ところが中国では共通の宗教が生まれていない。生まれたとすれば孔子の儒教というか……。

石　それが問題なんです。中国人には社会的なコンセンサス（意見の一致）がなく、繰り返しますが公が存在しない。宗教では一つの絶対的なものに最高の価値を置きます。キリスト教でいえば神様、日本にも神道のいわゆる「清き心」という美学的なものがある。しかし中国の場合は、絶対的な基準がありません。絶対的な基準がなければ、やりたい放題になってしまう。やりたい放題となれば、誰に対しても信頼感がなくなる。信頼感がなければ、誰もが生きていくのがしんどくなる。要するに共同体の意識がなければ、いつでもどこでも誰かに騙され、自分が悪いことをしなければ、よその人が悪事を働くと考える。

李　なぜそういう文化になったのでしょうか？　孔子の言う「家族を愛しなさい」は悪いことではないけれども、家族になったら公を犠牲にするんですね。

石　そこですよ。例えば『論語』に有名な話があって、ある人が孔子に、うちの田舎にいい青年がいて、父親が隣の家の羊を盗んだら、この青年が父親の盗み行為を告発した。だからいい青年でしょうと言ったら、孔子が怒った。

李　「うちの村にはもっといい青年がいる」と。

石　そう。本当のいい青年は、たとえ自分の父親が悪いことをしても、父親をかばうのがいい青年だと。

李　家族の論理を大事にするあまり、身内だったら悪いことをしても、かばったほうがいいという思想です。これは中国人にも韓国人にも共通している。人間社会はそうかもしれませんね。

石　逆に子供が悪いことをしたら、父親がその子供をかばうのが本当のいい家族関係であると。しかし、李さんが仰ったように、家族があって公がない。

李　公をおろそかにしたのは孔子なんですよ。

石　まあ、それは言えます。というのは長年、中国には「宗族（そうぞく）」という制度があって、一族が一つの世界であって、道徳倫理がみんなこの中で善悪を判断する。結局、家族にとっていいことであれば全てが善であると。

李　当時の孔子はすごい学者だと言われていますが、中国社会の全体の状況に影響されるんです。中国は農業社会ですから、農業は家族でやりますよね。いまの年寄りはあまり役に立たないけれども、昔の年寄りはとても役に立ちました。例えば「この時期は稲の種を植えたらよくなる」というのが経験でわかる。若い人間は知らないから年寄りを大事にした。しかも農業を営む地域ではね。農業は手がかかるし、人が多ければ多いほどいい。家族全員が手伝ったほうがいい。ですから、とにかく家族を大事にするという思想がある。

石 家族を大事にすること自体は何の問題もありませんが、問題は家族を大事にするあまりに、公の利益を損なうのはむしろ当然のことだと思われてしまう。

李 そこが問題です。

石 例えば賄賂の文化がそこにあたるでしょう。一族から一人の青年が官僚になると、この一族のために賄賂を取ってこないと駄目なんですよ。彼らにとって賄賂を取るのは家族のために素晴らしい行為なんですよ（笑）。

李 「他人」ということばを、中国の東北地域では「人家（他人の家）」といいます。だから中国人は一歩外に出ると、その世界は公ではなく、他人の家なんです。

石 中国人からすれば、皇帝、王朝も、せいぜい習さんとか李さんの一族の家です。

李 違う人の家だから、その家のルールは自分には関係ないんです。

石 中国人は自分の家の中はきれいにします。でも、いったん外に出たら平気でポイ捨てしたり、痰を吐いたりする。

李　『水滸伝』などを見ると、他の人を助けるのは英雄だけですよね。しかし、昔から中国の年寄りなどは、息子たちが外に出るときに「絶対ほかの人のことに首を突っ込むな」と諭します。

石　われわれの子供時代に年寄りから教えられたのは「外に出たら本当のことを言ってはいけないぞ」と。社会全体をよくするとか道義心とかはなくて、全て一族が中心。だから賄賂も文化になっちゃうんです。国民全体に公の意識がないからこそ、独裁政治でこの国をまとめるしかない。

石　中国で一番正義感があって公のために何とかやっているのはヤクザですよ（笑）。

李　そういう価値観が、日本と韓国ではどう違うのか。

石　そこは大事ですね。

李　例えば日本の価値観をつくった憲法や宗教、日本に定着した価値観は何なのかを考える必要がありますね。

石　いまの文脈で言えば、中国的な一族があって公がないというのは、朝鮮半島ではどうなっていますかね。

李　朝鮮半島で儒教の影響を受けたのは、李氏朝鮮なんですね。中国よりすごく短い。ただ、その前の918年から続いた高麗時代には、雲に乗ったおじさんが世間を超越した「神仙道」というのがあるんです。中国の道教の影響が強かった。それが混ざったわけです。

石 不老不死ですね。

日本のよさは「素直」

石 この文脈で李さんの見解をお聞きしたい。日本的な公と家族の関係はどうなりますか。

李 日本の価値観は実用的なんですね。「素直」と言えばいいのかな。例えば世界でことばを4種類混用している国は日本しかないかもしれません。カタカナ、ひらがな、漢字、場合によっては英語もそのまま入るでしょう。中国ではそんなことを絶対にしない。

石 中国人は英語を全部漢字に直さないと気が済まない。

李 「トランプ」も必ず漢字にしないと駄目ですからね。

石 「特朗普」とかね。

李 日本人の感覚では、文字というのは相手に正確に伝わればいいんです。

石 コミュニケーションの手段ですね。

李　漢字だけで正確に伝えられるのなら、中国漢字のままでもいい。しかし、例えば中国語では表現できないことばもあります。「やさしい」もそうですが、会話をもうすこし柔らかくするために、「そうだ」ではなく「そうだよねえ」とかは中国語にはないでしょう。

思想として非常に大事なのは、韓国と比較すればわかりますが、韓国の人々にとって漢字は聖なるものだから気やすく触らなかった。しかし、日本人は漢字は文字の一つに過ぎないという認識です。

石　万葉の漢字の使い方を初めて見たときはびっくり仰天でした。日本人は漢字を音を表するための符号（万葉仮名）にしちゃった。あの大胆さには驚きます。中国出身の私たちは漢字で書かれたはずの万葉集の歌をそのまま読めないし、意味もさっぱりわからないから、日本人は見事に漢字を解体したんですね。

李　カタカナも結局は漢字の加工です。

石　漢字というのはもともと、政治権力が何か上から宣言する政治的なことばです。新聞の社説を書くとき、漢字は力になります。例えば共産党機関紙「人民日報」の社説は漢字が一番ふさわしい。「おまえたちはこうしなければならない」といった上から目線で傲慢で、ああいう口調は漢文がすごく力を持っている。

李 中国語に「〜してください」ということばはあるかな。

石 ありませんね。「〜してください」は下から目線とも言えるでしょう。漢文は、ある意味では「けんかの文体」です。だから、相手を罵倒したり批判したりするときは漢文が一番いい（笑）。

李 『三国志』の曹操討伐の文章とかすごいでしょう。

石 中国語はけんかにぴったりのことばです。しかし、お互いに酒を飲んだりして琴線に触れるところでお話するのはやっぱり日本語ですよ。

李 ラブレターとかは日本語のほうがいい？

石 いいですね。

李 よくわかります。ひらがなが平安時代に生まれた背景は、貴族たちが自分の気持ちを漢字を記号にして表現しようとするとなかなか伝わらない。だからそれをもじって繊細な日本語をそのまま表現するひらがなでラブレターを書いたのが始まりだと理解しています。

そもそも漢字というのは、商（殷〔いん〕とも呼ばれる）の時代に王様が占いでどれだけ自分が偉いかを示す記号でした。ですから、意思疎通のために生まれたものじゃないんですよ。当初は神聖なる記号のようなものだった。ですから勝手に形を崩したり、バラバラにしては駄目なんです。韓国ではこのような認識があったから漢字を変えるという発想すらなかった。しかし、日本では最初から漢字はただの文字として受け入れた。その意味で日本は事大主義でもなければ、中国のものをそのまま使うのではなく、必要なものだけを使ってきたのです。

宗教もそうですね。中国のものを神聖視せず、素直に教えを受け入れたのではないか。日本から、例えばお坊さんたちが中国へ行って、10年、20年勉強して、一番いいものを持ってきましたね。京都の西本願寺とかもそうですが、当時あれだけの雄大な建物を中国以外のアジアでつくったのは日本だけです。中国の王様に遠慮することもなく、王様が何を考えようが関係なく、必要であれば中国の寺院より大きいものもつくった。しかし、韓国は中国皇帝を恐れるあまり中国のシキタリを守った。だから韓国のものは全部小さい（笑）。

石　そういえば日本では昔からの雄大な建物は全部、仏教関係ですね。奈良の東大寺の大仏殿とか、京都の西本願寺、東本願寺とか。中国と韓国では皇帝や王様の住む宮殿こそが一番雄大。豪華絢爛ですね。日本の場合は明治維新まで天皇のお住まいだった京都御所。あれは中国の皇帝が見たら笑いますよ。中国人の目から見れば質素というよりも貧相そのものです。

李　その通りで、日本をはじめ公のある国は、人間が住む家は謙虚なんですよ。しかし、西本願寺やヨーロッパの神殿など神様が住む家は立派に仕上げる。中国では王様の家が一番立派。お寺などは山奥に追いやられて、金持ちが気が向いたときにお金を恵んで、「いいものをつくりなさい」とか言う。しかも自分の名前を付けてもらおうとする。

石　ここで先ほどの公の話につながります。日本では例えば江戸時代、武士の世界では、各武士の家の上にさらに「藩」という名の家があるでしょう。藩が一つの公です。武士にとっては自分の家と同様に藩も大事です。「御家の一大事」はまさに「藩」のことを指しているでしょう。そして幕藩体制のさらに上に天皇という存在がある。家族より上位の公が常にいくつかある。

李　文化というのは価値観によって淘汰されるものと保存されるものがあって、価値観によって形が定着していくんですね。日本で私が驚いているのは、サラリーマンは会社をすごく大事にするでしょう。最近はわかりませんけど（笑）。

石　自分の家族は当然大事ですが、家族以上に会社が昔の藩みたいになっていて、李さんが仰る通り一つの公と言っていい。

李　日本は街をきれいにするでしょう。これは公の文化ですよね。家の中はあまり気にしない。友人たちの家に行ってもそうでした。しかし中国は逆。知人のマンションに行くと、入り口の公の空間は本当に汚い。でも一歩家に入ったら、「靴を脱いでこっちに置いて」と。全然違います。

秦の始皇帝と毛沢東

李　私は、毛沢東の発動した文革が中国人の道徳観を駄目にしたのか、あるいはもっと前からなのかを常に考えています。文革が中国のほとんどの昔ながらの価値観を全部打破しようとしたでしょう？

石　文革は文字通り「文化」に対する革命でもありました。つまり、中国の伝統文化というものに「反動的封建思想・封建文化」のレッテルを張った上で徹底的に破壊してしまう狂気の革命です。

李　ただ、そこまでしたけれど、中国の価値観や宗教観は破壊できなかった。これはやっぱり文革が中国人を駄目にした根本要因ではない、もっと古いはずだと考えて、たどりついたのが孔子なんですね。

石　私の理解では、中国を一番駄目にしたのは2人の人物。けっこう時代が離れているけど同じようなタイプの人間で、一人は秦の始皇帝、もう一人が毛沢東です。

李　ほう。

石　始皇帝がつくりあげたのは、皇帝独裁政治であり中央集権政治です。皇帝が全ての権力を握って頂点に立ち、官僚たちの手足を使って万民を支配する。それで天下国家を自分たち一族の財産にしてしまう。そうなると中国はずっと皇帝独裁が続き、いずれまた王朝がつぶれて新しい王朝が誕生する。

李　易姓(えきせい)革命ですね。すなわち中国の古代思想では、天子（皇帝）は天命によって国を統治し、天子が民・百姓の安寧を具現できずに徳を失えば、天命もあらたまり、新たな有徳者が王朝を興すとされていたことを指します。

石　そうです。天下国家がだんだん一族のものになって公の精神を失い、個人がみな宗族の中で、一族以外はみな敵になる状況をつくりあげる。しかも政治が支配する世界ですから、民間の自立した社会は存在しなくなる。そうなると徐々に政治だけが道徳の規準になる。

それで政治が全てを支配する中で、さっきの話につながるんです。みんな生きていくためにどんな悪いことでもやってしまうと。『史記』を読んでいると、例えば春秋戦国時代、あの頃の中国はすごく……。

李　文化が栄えた。

石　そう。しかも気骨のある人、道徳倫理観の高い人が多かった。しかし後世になると、中国の歴史は秦の始皇帝以降、だんだん悪くなった。でも、社会を維持していくためにはかろうじていくつか道徳倫理があって、例えば家の中では悪いことをしたらいけないとか、あるいは仏教が入ってきて、中国人は仏教の倫理観を多少受け入れて、この世で悪いことをしたら来世は地獄に落ちるぞとかね。

しかし、毛沢東の文革はそういうものをまとめて、きれいさっぱり消滅させた。それどころか逆に、中国の伝統の中の一番悪いところを、革命の名において発揚したんです。文革は中国の数千年の歴史の中で育まれてきた全ての、魯迅が言うところの「悪い根性」を完全に発揚させたのです。

李　毛沢東は人間の一番悪いところを引き出した。パンドラの箱を開けました。

石　道徳倫理の根本的な転換を図ったのは一応中国で、一応儒教の時代でしたが、儒教は偽善的でした。しかし、毛沢東の場合はこの偽善すらいらない。革命の名において悪を堂々とやるのです。悪こそは正義であると。

李　田舎でも、仕事はあまりしなくてぶらぶらして悪いことばかりする奴が、文革時代に革命委員会の委員長とかになっている。

石　そうそう。それは2回目です。1回目は土地改革。共産党はまず政権を取ってから、反革命鎮圧運動で1年間で農村の名望家など71万人も銃殺したでしょう。そこで土地改革をした。しょうもない村のならずものを動員して地主から財産を奪った。地域のお偉いさんや統治者になったのは、ならずものです。

李　一番のなまけものが権力を握ると、世の中が生きづらくなる。

ならずものこそ天下を取る

石　共産党政権そのものが、正当化された「悪の構造」です。あの構造の中で悪い奴ほど力を持つ。悪い奴だからこそ生き延びる。

李　ちょっと話がそれるけれど、韓国が（2021年の）いまそんな状況なんですよ。

石　ええっ⁉　そうなの？

李　悪い人間というよりは、指導者になっている人たちの多くは民主化運動をやった人たち。仕事をせずに、勉強もろくにせずにデモをして、まともな職につかなくて、その間、政治運動ばかりして偉くなっている人たち。つまり、まじめに汗を流し仕事をして組織の上に立ち、財をなした人たちではない者が指導者になると国はおかしくなるんですよ。

石　この話になると、いま思い出した。中国の伝統は、ならずものこそが上に立つ。

李　ならずものといえば劉邦（りゅうほう）。

石　そう、劉邦！　李さんと私は同じことを思いつきましたね（笑）。前漢初代皇帝の劉邦です。

李　私は劉邦と覚えずに、チンピラの意味で発音が似ている流氓（りゅうぼう）で覚えた。

石　劉邦には兄弟がいるでしょう？　兄のほうが勤勉で一生懸命働いて家の財産をこつこつ増やす。三男坊の劉邦は「飲む、打つ、買う」と不真面目で、家の財産を食いつぶす。父親は嘆いて「おまえがお兄さんのようにちゃんと働いて、家の財産を増やしてくれればいいのに」と言ったら、劉邦は黙った。しかし最後は、ならずものの劉邦が天下を取った。そのあと父親を呼び寄せて「おれと兄貴を比べて、どちらの財産が多いか」と（笑）。

李　日本でも劉邦、項羽（こうう）は有名ですからね。

石　そこで２つのことがわかります。劉邦が天下を取って皇帝になったということは、中国ではならずものこそ天下を取る。それが伝統になる。

李　本当にそう。

石　もう一つ、最後の劉邦の父親に対するセリフです。劉邦は若い頃から父親に嫌味を言われていたでしょう？　兄貴は家の財産を増やしているが、おまえは浪費をしていると。しかし今回、自分が天下を取ったから、おれの財産のほうが多いじゃないかと。劉邦からすれば天下国家は自分の財産。皇帝がそう思えば、誰もが天下国家のために公とは考えない。天下国家から争奪すること以外考えなくなる。

李　自分でつくるんじゃなくて、奪うことしか考えない。

石　そう、奪うんです。だから中国の「ならずもの政治」は現代にいたるまで続いている。

李　話が外れるけど、いま中国のＩＴ技術はほとんど他国から盗んでいるでしょう。自分でせっせと働いて何かをつくるのは馬鹿馬鹿しいわけです。

石　そう、馬鹿馬鹿しい。

李　だから中国人が日本人を見ると、馬鹿馬鹿しいと感じるわけです。例えば日本にはすごくおいしいラーメン屋がありますが、中国人だったら、すぐに店を増やして金持ちになろうとするのに、どうして日本人はせっせとラーメンづくりだけに励むのかと。

石　中国人にとってラーメンも店舗もしょせんは金儲けの道具ですから。

李　中国人ってそうなんですよね。

中国には神がいない

石　最近、中国でおもしろいニュースが報じられました。ある村で共産党の村長がヤクザとも付き合いがあった。しかし、村長があまりにも貪欲で賄賂を取り過ぎて、最後はヤクザから絶交を宣言された。ヤクザが、こいつはやり過ぎて絶対捕まる、自分も危なくなると警戒したわけです。いま中国では共産党の幹部がヤクザから絶縁される存在なんです。

李　ヤクザが敬遠する側になっているなんてね（笑）。

石　そんな中国に誰がしたのかというと、まずは先ほど触れた秦の始皇帝。さらに李さんの深いところでの問題提起があります。問題は中国人が二千数百年もの間、こういう皇帝独裁体制をなぜずっと受け入れてしまうのかです。中国の歴史には易姓革命があって一つの王朝は長ければ２００年以上存続する、短いものは数十年しか存続しない。王朝の末期に必ず民衆の反乱が起きて王朝がつぶれる。ところが、ここが問題。毎回せっかく易姓革命があって新王朝がつくられても、新しくもっとましな制度には絶対ならない。全く同じことが繰り返される。このことをどう思います？

李　中国には神がいないんですよ。そこが一番の問題だと思う。例えば輸出用キムチをつくる中国企業が白菜を下水道みたいなところで洗っているという話も、神様を恐れていたら多少なりとも良心的に躊躇（ちゅうちょ）したりするけれども、神様がいないからそういう行動を取るわけです。

もちろん商の時代、いまから3000年くらい前までは人間を超越する存在、すなわち神を恐れていた。当時の中国（商）では全て占いをもって人々は行動したりした。それを孔子が神様に頼るのではなく、人間が正しいことをすれば神を恐れることはないという思想を広めた。彼は人間はどう生きるべきかと、70歳になるまでずっと考えた。孔子は、現世に執着するあまり死んだ後のことや生まれる前のことをあまり考えるなと説いた。いま生きている現実をどうやって立派に生きるかを彼はずっと教えていた。

石　だから孔子の教えからも普遍的な道徳の基準が生まれてこないのです。

李　人間というのは、70年とか80年だけ生きるとなったら、死んだあとどうなるか関係ないんだったら、やりたい放題やってしまう。

それは中国を旅行してみればわかります。中国で宗教は、仏教も道教もそうだけれど、山奥に追いやられて、人間がたくさん住んでいるところには出てこない。しかも中国の街を歩くと、立派な建物は金持ちとか権力者が住むところなんですね。ヨーロッパや日本では一番素晴らしい大きな建物は神様が住んでいるでしょう。新幹線に乗って窓の外を眺めていると窓外の村々が目に入りますが、村で一番高い屋根の立派な家が見えるのだけど、それはたいていがお寺ですよね。

石　一番よく見られるのは滋賀県ですよ。京都から新幹線に乗って山科（やましな）に出て、大津に入って、大津から彦根あたりまで車窓から見たらわかります。だいたい20軒、30軒の家々の真ん中に必ず大きな屋根のお寺が見える。

李　金持ちや権力者の家ではないんです。中国の場合、これは金持ち、権力者の家だと一目でわかる。中国では権力者よりいい家に住んでいたら駄目なんです。権力者にお金を貢いでから自分もぜいたくをする。これが中国。長い歴史の中で人間は俗物になっている。俗の世界しか考えない。ほかのことを考える余裕もなかったんでしょう。

そこで中国人は何を頼りに生活して、何を価値観の基準にするかといったら、頼るものは自分だけ。北京大学の馮友蘭（ふうゆうらん）という哲学者は、中国には宗教はないけれども、中国人が善しとする哲学があって、それが中国の宗教であると。そういう意味からすると、春秋戦国時代に一応花咲いたさまざまな哲学の中で、孔子の哲学が中国人の生活の基準になってしまった。あたかも孔子の言う「こういう人は君子だ。それさえすればいいんだ」という安心感があって、結局はいまの奴隷のような人間の社会がつくられたんじゃないかと思うのです。

石 そこは重要です。結局、始皇帝が誰もが奴隷になる政治制度をつくってから、せっかく何十回も易姓革命をやって、いったんつぶれたのに、なぜ新しいものをつくらないのかというと、まさに普遍的な宗教がないから。皇帝の政治権力に対するアンチテーゼ的なものがないんです。

唯一の宗教が、儒教的なものが権力者を正当化するものであって皇帝の僕(しもべ)です。まさに皇帝に奉仕するための「奴隷の哲学」ですよ。そうなると中国人は永遠に皇帝政治を超えられない。結局、新しい皇帝が誕生するだけの話であって、それを否定する宗教も哲学もない。さらに庶民たちにはそんなことは関係ない。自分たちの家族を守るだけの話であって、結局、天下は誰が力が強く、それを全部支配して自分のものにするかだけです。

李 だから人間しか怖くないんですよ。もっと具体的に言うと、王様が一番怖いわけですよね。人間だから殺すことも可能だけど、神様は殺せない。中国での尊厳は貪欲の塊の王様です。しかし、日本では人間が生きるための道を極める。先ほど人間として最高の境地を極めるのは神道(かみのみち)と言ったけれども、日本では神道を実践することが尊厳につながるんですよね。中国と全く違う。

本当の知識人はいない？

石　日本は封建制の下でも一人一人に人格がある。自分の道を極めるという人格です。職人にも人格があった。ただ、中国には人格がない。みんな皇帝の奴隷ですから。人格うんぬんという話ではない。「おまえの道を極める」というのはない。一流の知識人でも唯一の道が科挙試験に合格して官僚になって皇帝様に仕えることなんです。独立した知識人は一人もいない。秦以後の歴代王朝においては知識人はみんな官僚でしょう。李白(りはく)も杜甫(とほ)も、朱熹も王陽明もみな官僚ですよ。

李　中国の学者は一応勉強して知識をたくさん身につけて出世した人。どういう人が一番いばって自分では成功していると思っているかというと、官僚です。官僚になれなかった人間は著述家になったりする。それもできない人は人生を嘆きながら詩を書いたり、山に隠れたりする。だから中国には本当の意味での知識人はいません。

石　確かに、知識を基盤に独立した人格者はいませんね。

李　知識人として本来の使命を帯びる人はいません。一流の学者は、王様の取り巻きになって王様の言うことしかやらない。出世しなかった人たちは、社会を批判したりするよりは、世間とかけ離れた趣味の世界に落ちこぼれる。唐の時代の杜甫とか社会を憂えたりする知識人もいます。でも、あくまでも自分で嘆いているだけで社会をどうするとかの考えはありません。

もっとひどいのは六朝（りくちょう）時代の詩人、陶淵明（とうえんめい）みたいな人間は山に隠れて、朝起きたら南の山を眺めて、桃源郷の中で生活をしているかのように自分の心境を歌で表現します。しかし、陶淵明も出世できなかったから、彼の詩を読むと、ずっと世間を気にしている。何かしたいんです。王様に仕えたいんですね。

石　しょうがないから、官僚は皇帝にいい立場で仕えて栄達したときは得意満面で、儒教の世界に生きる。いったん権力から排除されて、失意のときだけ隠遁（いんとん）の世界に逃げる。

李　まさに中国の有名な哲学者の一人が「中国は得意のときは儒教に生きる。失意のときは道教に生きる」と書いています。現実をいかに立派に生きるかというのが儒教で、道教は世の中に壁をつくって山に隠れたりするのだけど、陶淵明は、本当は儒教派だけれども出世できなかったから道教の世界に飛び込んだ。中国には神や信念というのがなくて、儒教と道教の間を行ったり来たりと書いた人がいましたね。

石　そういう社会がどうなるかというと、独立した知識人が出ない。独立した職人も出ない。誰も自分の道を極めることをしない。みんな皇帝の奴隷です。だから中国は進化しないんです。歴史は繰り返されるだけです。

李　いまの話もすごく大事です。中国に独立した職人がいないのはその通りで、中国では昔から「焼き物とか芸術品が発達した」と言うでしょう。でも、それはあくまで王様の好みに合わせた「おもちゃ」であって、社会のために発明したものではない。王様一人の尊厳のためです。

石　焼き物にしても工芸品にしても、先にも触れましたが、皇帝のためにつくるのが一流の職人とされるのです。

李　書道や芸術にしても、王様が好きなものしか残していない。だから本当の意味での芸術家や職人はいません。

石　日本の江戸時代でも、あるいはヨーロッパの文化史を読めば、われわれの知っているヨーロッパの思想家もほとんど、政治権力と距離を置いて独立していた。

李　芸術家は権力やお金とは関係ない。

石　芸術家は教会や世俗権力の保護を受けることがありますが、思想家のヘーゲルにしてもカントにしても独立した自由人です。しかし、中国は王陽明も陽明学で偉そうに言っているけど、彼は明王朝の官僚です。人生の大半は官僚として過ごしていますが、宦官と対立して官僚の道から排除され、貴州の竜場（りゅうじょう）という辺境の地に、日本で言えば島流しにされたあと、陽明学を開いた。

江戸時代で言えば、思想家の伊藤仁斎（じんさい）や国学者の本居宣長（もとおりのりなが）らは民間人で、自立して国学を極めたりしていて、権力の付属ではない。中国は権力が全てだから、知識人がみな官僚になるので、科学も技術も新しいものが何も生まれてこない。

李　先に触れたように、中国は紙、火薬、羅針盤、印刷術と四大発明をしました。なのに2000年間、進歩がなかった。いまの中国の政治は昔の王様の政治にちょっと似ています。2000年の歴史が証明したように結局は限界がくるのです。いまは素晴らしいデジタル技術を監視に使っているでしょう？（笑）

石　そうですね。一番素晴らしい技術は皇帝のために使う。習近平が最先端のＡＩ技術を

「奴隷たち」を監視するために使っている。まさに習近平が「皇帝」であって、どこかのお店に行って肉まんを食べたところ、彼が座った椅子と机は永遠に誰も使ってはいけないことになっている。

李　石さんが行っても駄目かな？

石　私が座ったら逮捕されるでしょう（笑）。まさにこれですよ。彼だけが尊厳のある皇帝であって、ほかは奴隷です。奴隷はご主人が座ったところには座れない。

李　中華民族の尊厳を取り戻すというのは……。

石　何が尊厳ですか。習近平の尊厳、彼が食べた肉まんの尊厳ですよ。

共産党最高指導部、政治局員といったトップクラスの者が一斉に、習近平に書面で職務報告を行ったと「人民日報」が２０２１年3月１日付で報じました。最近の仕事について習近平が「おまえ、そこが足りない」といちいちチェックするわけです。しかし、彼自身は報告書を出さない。彼こそが主人であって政治局員までもが奴隷ですよ。

中国は何も変わっていません。そういう体制を嫌がる人たちが昔は山に逃げたけど、いまは幸いにして国から出ることができるから、私も李さんも日本に逃げてきた。奴隷にはなりたくないからね。

中国人に尊厳はあるのか

李　そもそも中国人に尊厳などあったのでしょうか。日本では1億2000万人、みんなに尊厳があります。権力を持っている警察だって、国民に対して勝手に理由もなくいばったりはしないでしょう。日本ではそういう姿を見たことがない。意識的に「私のほうが上だ」とか言う人はいるかもしれませんが、少なくともそれを表に出したら非難されますよね。

石　日本では偉い人ほど腰を低くしないといけない。チンピラは「おれが偉い」ですが、そんなチンピラにもチンピラの道がある。ヤクザにもヤクザの見本みたいな義理人情を大事にして、一宿一飯の恩義を必ず返す極道もいる。

「そもそも中国人に尊厳などあったのか」は実に深い問いです。習近平は「中華民族の尊厳を取り戻す」と言いましたが、実際はそんなものはどこにもない。彼にもそんなことに本気で取り組む考えは毛頭ありません。彼にとって大事なのは自身の尊厳であり、世界の指導者になることです。だから昔、ヘーゲルが言ったことが正しい。「中国の政治体制は一人の主人に対してみんなが奴隷。一人の主人の尊厳を守るために人々が全て尊厳を失う」と。

李　石さんが仰った「中国を駄目にしたのは秦の始皇帝」というのはまさにこれですね。

石　はい。よく「封建制」と言うでしょう。実は始皇帝以来、封建制がないんです。封建制があったのは周王朝（紀元前１０５０年頃〜前２５６年）です。王室があるのですけど、直接統治するのではない。各地域の諸侯が領地を王様からもらって治めるということ。それは封建制なのです。

日本の場合、江戸時代の幕藩体制は封建制の典型です。江戸幕府は決して全国の隅々まで自分たちを統治しているのではない。何百もの藩があって、藩政はそれぞれ自分たちでやる。ただし、藩主が将軍から領地をもらって、将軍に服従する。しかし、だからといって、幕府は好き勝手に藩主を任命することはしない。

李　藩主の内政には干渉しないということですね。

石　そう。藩主の地位も血統によって保証されます。それが封建制です。西ヨーロッパにも封建制があった。騎士と領主の関係です。

しかし中国と韓国は、日本や西ヨーロッパとは全然違い、皇帝独裁制です。封建制とどう違うかとなると、皇帝が全国を支配する。当然自分一人では支配できないから官僚を使う。朝鮮がそうでしょう。

李　中国の場合、具体的には？

石　各省の長官は藩主ではなく、自分の領地を持っているわけではない。皇帝から派遣された官僚が皇帝の代理人として数年間、当地を治めます。当然、庶民も全部皇帝の人民です。だから本当の主は皇帝一人しかいない。官僚も理論的には庶民と同じで、全員が皇帝に奉仕する立場であって、尊厳を持つのは皇帝しかいない。

だから中国で明朝の時代がどこまでひどいかというと、いくら大臣クラスでも、皇帝の逆鱗に触れれば、ズボンを脱がされてお尻を叩かれる。

李　でも北朝鮮よりはましではないでしょうか。北朝鮮はその場で膝の骨をつぶして、ひざまずかせ、引きずり出して銃殺ですから。

石　60歳の大臣でも、皇帝の前でお尻を叩かれると誰も尊厳を持たない。問題はここですよ。誰も尊厳を持たない社会は結局、誰も自尊心を持ちません。そして自尊心がないと悪いことを何でもやりますから。

第4章

なぜ私たちは日本人になったのか

文化大革命で両親と離ればなれに

李 石さんは私より3歳年下ですよね。

石 はい。私は1962年、昭和37年1月生まれです。

李 私は1959年9月生まれだから学年が2つ違う。大学に入ったのが、石さんは80年。私は78年なんですよ。

石 大先輩ですね（笑）。78年は中国で大学受験の競争が一番激しい年だったんでしょう？

李 そうですね。全中国の20歳から30歳までの高卒生あるいは受験資格のあるほぼみんなが大学の入学試験を受けました。

石 中国で文化大革命が始まったのは1966年、毛沢東が亡くなったのが76年です。日本の人たちにはわからないかもしれませんが、中国では大学入試が66年から中止され、77年に再開されるまで、大学受験がなかったんです。

李 そう、募集がなかった。

石 そのため77年は10年以上分の高校卒業者がたまりました（笑）。

李 たぶん当時は全国で30万人も合格しなかった。いまは700万人を超えています。

石 当時は大学の数が少なかったから、李さんはすごい難関を突破したんです。

李　いやいや。私は中央民族大学文学言語学部（朝鮮語専攻）に入学しましたが、確かに当時は大学生であることがすごく自慢でね。多くの人が大学のバッジをつけて歩いたりしていた。でも石さん、北京大学哲学部出身ですよね。すごい天才です。生まれたのは四川省の成都ですよね？

石　そうです。

李　昔の『三国志』で言えば？

石　蜀の国の都が成都です。諸葛孔明(しょかつこうめい)とか劉備とか。

李　石さんは諸葛孔明と縁があるんですか？

石　いや、全然（笑）。諸葛孔明も劉備も中原(ちゅうげん)から蜀に入り、蜀で国をつくった人なので、四川省の人間ではありません。

　私の祖先の歴史をたどると、明王朝崩壊のときに農民反乱軍の張献忠(ちょうけんちゅう)が四川省の住民を大量に虐殺したため、四川省から人がいなくなり、周辺地域の人々が四川に入って人口減の穴を埋めました。私の祖先もおそらくそのときに四川に入ったと思います。

李　でも育ったのは都会じゃなくて、祖父のいる田舎？

石　はい。成都は大都会でしたが、私にとっての本当の中国は、北京でもなければ上海でもなく、4歳から12歳まで暮らした四川省の山村だったんです。両親は2人とも大学の先生でした。1966年、私が4歳のとき文革が始まると、「叩かれる対象」として両親が大学から追い出され、成都近郊の集団農場に下放(かほう)されました。

李 下放とは都会の知識人や幹部を地方に送り出す政策のことで、つまり追放ですね。両親は何を教えていたのですか。

石 父親は物理学を教えていました。

李 文革によって知識人は田舎に追放されたんですよね。

石 2人は集団農場で8年間、別々の生活を余儀なくされました。子供の面倒を見られなくなるので、私を山村に暮らす祖父母のところに預けたんです。父親はその間、豚を飼っていたそうです。のちに成都に帰って酒を飲みながら「おれはあの8年間、物理学は半分以上忘れたけど、豚のことはめちゃくちゃ詳しくなったよ」と話していました(笑)。

李 学者は探求心があるからね。豚を徹底的に研究したわけですね。

石 やっぱり知識人ですよ。ちなみに祖父母が暮らしたのは四川省の楽山(らくさん)の田舎です。

李 成都から方向的には?

石 南の方です。で、私は両親から離れて四川省の山村で暮らしました。

李　すごくかわいい男の子が走り回っている姿が目に浮かびます。

石　田んぼがあって竹藪があって里山があって農家が点々としている。日本の田舎に似た雰囲気でした。

李　あそこの風景はきれいですからね。

石　おそらく李さんが育った大平原もそうでしょう。

李　私は15歳で高校を卒業し、半年ほど田舎で野良仕事をしたことがあります。なぜ15歳で高校を卒業したのかは後述しますが、私が育った黒竜江省の三江(さんこう)平原北部の紅旗(こうき)村は稲作中心の農村でした。20世紀に入るまでは農作業をしなかった土地でしたから、土が肥沃で種をまくだけで期待以上の収穫ができる所でした。

高校を出た年の夏に、農民たちと一緒に水田で雑草を抜く仕事をしたこともありますが、15歳といえば、まだ少年で、役に立たなかったんでしょうね。農民たちと同じ仕事をさせるわけにはいかないと思ったんでしょう。私には放牧の仕事が割り当てられました。10頭ほどの牛を草原みたいな水田の端っこに連れていって草を食べさせてから連れ戻す仕事です。

牛は、腹いっぱいになるまでは、なかなか言うことを聞いてくれません。牛たちの腹が太鼓のようにパンパンに膨れ上がるまでじっと待たなければならない。そのときは、草原のど真ん中に立ち、果てしなく続く水田やその向こうの青々とした山を眺めながら空想に浸ったりしました。

石　夕日がきれいでしょう?

李　特に、牛たちを連れて村に戻るときに眺める夕日は格別に美しかった。遠くに夕飯をつくる家々の煙突からかすかに煙が上がっているのも見える。いま思うと、そのとき私が置かれた状況は絶望的でしたけれども、赤く染まった空や夕日を眺めていると幸せでしたね。

石　四川省は一望するような大自然はなく、小さい里山です。まあ、とにかく8年間、そこで育ったんです。

いじめられた地主の子供たち

李　おじいさまは仕事は何をされていたのですか。

石　田舎の昔風の漢方医でした。ただ、診療といっても設備が何もないから、患者の脈を測って舌を見て顔色を判断し、筆で処方箋を書く。しかし、処方箋を書いても田舎で薬局もないから、時には一日中、自分で山に行って薬草を取っていました。

李　昔の漢方医ってそうですよね。

石　私もよく遊び半分で祖父しか知らない道をついていきました。

李　小さい子がおじいさんの後ろをぞろぞろついていく姿が目に浮かびます（笑）。

石　祖父は年を取っているから、高いところだと薬草を取れない。だから「おまえ、行け」と。私は猿のように登って取ってくる。取ってきたらご褒美があるから。

周辺の村からいろんな患者が来るんです。でも誰も現金を持ってこない。診療代の代わりに果物とか、時には自分でつかまえた魚を持ってくる。一番いいのは鶏一羽。そのままうちの庭に放り出して、「これが診療代です」と。

李　田舎で素晴らしいおじいさまのもとで育ったから、普通の人と感性がすこし違うところがあるかもしれませんね。石さんの知恵とか基礎はおじいさまの影響？

石　そうですね。私の人生にとって大きかったのが田舎での8年間です。人間形成や自分の性格は、あのときに育まれました。そういう意味ではよかったと思います。

伸び伸びと自然の中で、まあ正直、田舎の学校はいい加減なものですから、午前中は一応勉強するけど、午後はみんな一斉に外に出ます。だいたい先生は家の用事がありますからね。

李 当時の中国は勉強しないですもんね。

石 しないしない。しかも小さい学校ですから、みんな一緒に出かけて、隣村の連中と合戦をやったりした。山の一番上に自分たちの秘密基地があって、隣村の子供たちが向こうの山にいるから、まるで『三国志』ですよ（笑）。合戦をしておなかがすいたら、どじょうを捕まえて食べたり、すずめをいろんな方法で捕まえて焼いて食べたりしました。とにかく山の生活で一番楽しかったのは合戦ごっこ。こうした日々は自分の人生で大きかった。

祖父は当時、田舎の知識人でしたから、漢詩だったり『論語』を通じていろいろ教え込むんです。

李 それは人生の滋養になりましたね。田舎で育った人間と都会の人間は、善し悪しは別にしてすこし違いますよね。

石 確かに違います。

李 私も自由散漫な性格であまりこだわらない。田舎は誰もかまってくれないし。

石 そうでしょう。祖父母とも、こまかいしつけは一切しなかった。「自分で考えて行動しなさい」と言うだけ。祖母からは「外でけんかをしてもかまわない。でも女の子と小さい子をいじめたら晩ごはん抜きで追い出すよ」と、それだけは厳しく言われました。

李　私は、同級生に地主の娘がいたんですよ。反動分子でしょ。田舎だから文革時代に、せいぜい地主をいじめるわけですね。

石　ああ、大変です。

李　母は常に私に言いました。「あの人（地主）は熱心に仕事をしたから金持ちになったんだよ」と。その家に娘が3人いて、末っ子が私の同級生でね。すごくかわいい子だったけど、学校に行くとみんながいじめるんです。教室を出るときに一回殴って、入るときにまた殴った。私はすごく心が痛くてね。20数年後に彼女に会ったら、「相哲さんだけは私を殴っていない」と。

石　本人はわかっているんだ！

李　全部覚えていた。

石　中国のあの時代、地主の子供であれば誰でもいじめることができた。本人が反抗するのは許されないんです。

李　勝手に殴るんですよね。

石　そうそう。その娘さんは李さんのことをおそらく死ぬまで覚えているでしょう。彼女の心にすごく残るんですよ。人間はそういう状況の中で受けたやさしさは一生忘れないです。

李　当時、地主や知識人は「悪い人」だと宣伝されていましたが、うちの母は学はなかったけど「みんな勤勉だから、いい生活をした。悪いことはしていないよ」と言っていた。

石　反革命の思想ですよ。外に漏れたら大変なことになる。

李　田舎だから関係ありませんよ（笑）。

毛沢東語録をたくさん覚えた

石　ご存じの通り、毛沢東は政治的指導者にとどまることに満足せず、国民にとっての精神的な教祖様を目指した。実際、われわれの学生時代、毛沢東は神様以上の存在として扱われていました。中国のあちこちの小学校から中学校まで、教室には必ず毛沢東の肖像画が掛けられていた。

私が通った中学校は成都市の「思想教育の重点模範校」に指定されていて、「毛沢東思想の徹底した教育によって、毛主席の忠実な戦士をつくること」を基本方針としていたので学校全体が「毛主席」一色でしたね。授業が始まる前にみんな起立して、毛沢東の肖像画におじぎをして……。

李　毛沢東を敬愛する歌も歌った。

石　歌いましたね（すかさず一節をくちずさむ）。

李　（笑）。文革が始まったときは4歳でした？

石　はい。大人たちを見ていました。

李　一番激しかったのは1966年から68年くらいまで？

石　そうそう。先述の通り、あの頃、私は田舎にいました。さすが田舎には毛沢東に忠誠を誓った紅衛兵（こうえいへい）は一人も来なかったですが。

李　ちょっとした都会は大混乱で、お互い武器を持って戦った。

石　もう内戦状態でした。

李　ただ、文革時代のつらい記憶はあまりないですね。文革が始まったのは私が小学1年生になる年でしたから、意味も知らずに毛沢東の語録をたくさん覚えていました。「人民こそが歴史をつくる動力だ（人民、只有人民、才是創造歴史的動力）」とか、「革命というのはお客さんを招いてご飯を食べるような、たやすいものではない。革命は暴力だ。革命は一つの階級がもう一つの階級を引っくり返す苛烈な行動だ（革命不是请客吃饭、革命是暴动、是一个阶级推翻一个阶级的暴烈的行动)」とか。いまは、毛沢東が言ったこのようなことばには同意しませんけれど、当時は、小学生でしたから意味を知らずに覚えました。

中学校に入ったのは文革がすこし下火になり始めた71年でした。家のすぐ隣に人民公社の16の村の子供たちが通う中学校がありました。中学・高校を中国では「中学校」と称していましたね。

村には小学校もありましたが、校舎は土と藁(わら)で固め、それを重ねてつくった、いまにも壊れそうな建物で、机や椅子は簡易な板だった。村で唯一「立派」な建物はレンガづくりの中学校でしたので、私は早く中学校に入りたかったですね。

そこで小学4年の夏に中学校を訪ねました。どうやって校長先生の部屋に案内されたかは覚えていませんが、校長先生はニコニコしながら、私をからかうように、「君、その壁の語録が読めるかい?」と聞くのです。当時は、毛沢東の語録を赤い紙に黄色い字で印刷して、それを壁に貼るのが流行(はや)っていましたから、校長室の壁には毛沢東語録がいっぱい貼られていた。それを私はスラスラ読みました。意味はあまり知らなかったけれどね。すると、こいつ面白いと思ったんでしょう。校長先生が私を教務室に連れていきました。先生たちがチビの私を囲んで、「君、分数を習ったことはあるかい」とか「雄大な」ということばを出して「短文をつくってみて」と面白半分に「テスト」をした（笑）。

石　合格した？

李　はい。田舎の学校でしたからね。

結局、2年飛び級して中学校に入りました。中学校には「紅衛兵」の腕章をつけた学生もいましたが、先生を引っ張りだして批判大会をすることなどありませんでした。田舎育ちの私たちは闘争的ではなかった。村の人々も熱心ではなかったですね。都会では、派閥をつくって毛沢東と劉少奇（りゅうしょうき）（1898〜1969年）のどちらを支持するかで論戦を交わしたり、殴り合ったり、場合によっては武器を持って戦闘までしましたが、私たちの村は平穏でした。村のおじいさん、おばあさんたちは字が読めない人が多く、青年たちはせいぜい、毛沢東のバッジを欲しがったり、毛沢東の語録集を手に入れようとしたり、それをまた自慢するくらいでした。

石　手帳のように携帯できるものを、中国では「紅宝書」と言いましたね。

李　毛沢東の語録を当時は「最高指示」と称したでしょう。毛沢東が何か新しい指示を出したら、人民公社ではそれを伝達する儀式を行いましたが、私は新しい最高指示を全部覚えたりした。

そんな雰囲気のなかで私は中学校に通いましたが、73年3月に文革中に失脚していた鄧小平が毛沢東に呼び出され、国務院副総理になると、全国の小中高の教育にメスを入れたのです。ずっと後になって知った事実ですが。毛沢東は知識人が嫌いで、学校は役に立たないという考えを持っていましたから、「学制は短くすべきだ」という指示を出し、学制を小学校5年、中学校2年、高校2年に改めました。しかし、鄧小平の復活で学制はまた変わり、中学校は3年制になりますが、私は中3にはならないで高校に進学しました。高校には3歳年上の姉がいまして、同じクラスになったのを最初は嫌がりましてね。

なぜ、こんなことを話すかと言いますと、文革の激しい政治闘争の影響は私が住む田舎には及んでいなかった。その田舎からいきなり北京の大学に行ったものですから、刺激は大きかったですね。私たちが大学に入学した頃の中国は、ちょうど改革開放が始まったばかりで、全中国の若者が外国に憧れをもっていましたよね。なぜか、私は大学時代から日本に行きたかった。

石　願いが叶ったわけだ。お互い人生の半分以上、日本で暮らしていますね。

私は3つの祖国を持っている

李　どうして石さんは日本に来たのですか。

石　私の場合は実に簡単です。高校時代のクラスメートで悪友といえば悪友、親友といえば親友の王君がいて彼のおかげで日本に来たのです。この人が北京の清華大学に入ったんです。

李　中国の名門ですね。

石　胡錦濤さんたちの後輩です。

李　習近平もですよ。

石　でも習近平は受験して入ったのではなく推薦入学。話を戻すと、北京大学と清華大学は隣同士です。大学の4年間、王君とはずっと一緒だった。親友だから彼のことは何でもわかっているし、恋愛の相談は全部私のところにくるんです。私もそんなに恋愛経験はないけど一応彼に助言する。

李　女の子との？（笑）

石　そう、恋愛について。彼は大学を卒業すると国から留学生として日本に派遣されたんです。

李　国が推薦してきたものですね。

石　中国政府の方針ではできるだけ理科系しか送らない。外国に送って技術を学んで帰ってきてから役立ってもらう。文科系の人間は外国に送ったら、変な思想を覚えて帰ってくるから困るんですね。王君は国の派遣で大阪大学大学院に留学しました。あの頃はまだ携帯電話がなかったでしょう？　1年経ってから私が勤めていた四川大学の研究室に電話をかけてきて、「おまえも日本に来いよ。来るなら半年分の生活費と1回分の学費を立て替えてやるから」と言うから、日本に来ることになったのです。

李　当時は日本に来るのがすごく難しかったですよね。

石　そう、難しい。王君が自分の研究室の日本人の同級生にお願いして、その同級生の父親に私の保証人になってもらいました。日本に来たのが1988年4月です。

李　いつ日本国籍を取得したのですか？

石　帰化したのは2007年です。けっこう遅かった。

李　きっかけは何ですか？

石　日本に来た翌89年に天安門事件が起きました。私にとって人生最大の境目です。心の中で中華人民共和国と決別しました。しかし、やっぱりどこかで自分の所属、心の拠り所がないとね。アイデンティティをどこに持つか、確立するのにけっこう時間がかかりました。帰化の手続きを申請すれば、安定した収入とかいろんな条件がついてくるから。李さんはいつ日本国籍を？

李　1998年です。

石　来日してどれくらい経ってからですか？

李　来日したのが87年ですから、11年後ですね。

石　早いほう？

李　当時、帰化するのはけっこう大変でした。田舎に頼んで証明書類をつくってもらったりするのに1年近くかかりました。田舎育ちの私は出生証明書を見たこともなかった。その時代の中国の田舎には、そんなものはなかったですよね。

石　私たちの時代にはなかったです。どういう思いで帰化を決断されたのですか？

李　そもそも私は中国人ではなかったし、韓国人でもなかった。中国では「朝鮮族」と呼ばれ、少数民族扱いを受けましたが、朝鮮半島にルーツを持つ朝鮮族は、韓国か北朝鮮を祖国だと思う場合が多い。いまでは、北朝鮮も韓国も好きではないから、自分は「朝鮮族」だと主張する人も多いですが、本当の意味で朝鮮族は少数民族でもなければ中国人でもない。朝鮮族が中国に住み着いた歴史はそんなに長くないですからね。

私の場合は韓国人移民2世で、国籍を自分の意志で選んだわけではなかった。しかし日本に来てみると、民族とは関係なく中国人に分類されるのですが、大学では韓国人留学生の集まりや行事にも、中国人の集まりにも顔を出しました。でも、完全に中国人、または韓国人になりきれなかったですね。つまり、日本に来てから自分はいったい何者なんだと強く感じるようになりましたね。国籍って何かも考えました。だから、もしも、国籍を選ぶことができるなら、日本がいい、と思いました。そもそも日本が好きで日本に来たのだから。帰化は願ってもないことでした。迷いはなかったですね。

私は中国に本当に合わなかった。ただ、出世はしたと思います。というのも、私が大学卒業後に勤めた中国共産党機関紙「黒竜江日報」で、入社5年目に「処級」幹部になりましたから。

石　大出世です。処級といえば、日本の役所だったら課長の上ですね。

李　新聞社の各部は省直属機関だから庁級機関になる。そこの部長だったら政府機関の処になるんです。

石　なるほど。日本の新聞社でいえば局長ですね。

李　まあ、レベルは違いますが、私が記者になって3年目にアメリカからジョージア州立大学の教授が中国に来た。その人と中国を何回も回りましたが、彼は「ミスター・リーは中国に合わないね」と言ったんです。水の上の油みたいだと。

石　あははは。逆です。どろどろの油の上のきれいな水ですよ。

李　つまり、もう合わない。心の中では、いつかはここ（中国）を出たいと思っていた。中国を出るときは、残留孤児が遊びに来ないかというので本当は個人資格の視察でした。2週間のつもりが30数年になった。日本に来るときは絶対に中国へは帰らないと誓って、写真と日記帳だけバッグに入れてきたんですよ。

石　自分の歴史が詰まっているものですね。

李　日本に帰化するには税金を何年払ったとか条件がいるでしょう。ちょうど税金を払って5年目で、それで申請しました。

ただ、アイデンティティの話ですが、日本国籍を取った後、国際会議に出席するとややこしいことが起りました。何かと韓国、中国、日本と議論をするでしょう。すると私はどこに座るべきかというのが、アイデンティティとも関係するので大変なんです。

石　非常にわかります。

李　中国、韓国、日本の学者グループのどこかに座れば、それが私のアイデンティティになるんです。中国や韓国で私を知っている人が国際会議を主催する場合、会場が韓国だったら私を韓国人の席に、中国だったら中国人の席に座らせる。しかし、私を知らない人たちによる国際会議だったら、私を日本人の部会に入れるわけです。そのとき新聞に書いたエッセーのタイトルが「3つの祖国を心に抱いて」だった。中国で生まれて大学まで出て、よくも悪くも中国で育った。だから中国の悪い部分はたくさん見ているけれども、中国は生まれ育った故郷。韓国は母の国、すなわち母国です。

石　お母さまは中国で生まれたわけじゃないんですね。

李　母は朝鮮半島で生まれて中国に行った。ですから家庭内は韓国文化でしたけれど、日本は私が自分で進んで求めてきた。だから3つとも私にとっては大事な国です。私は3つの祖国を持っているのです（笑）。

友人たちの中には「スポーツの試合を観戦するとき、どの国を応援するのか」と聞く人もいます。アイデンティティを確かめるには一番よくわかる方法ですよね。そのときはあまり積極的に答えず、「弱いチームだよ」と誤魔化したけど、あとからはっきりと決めました。私は中国的な要素を100％、韓国も100％、日本も100％持っているから、300％の人間だと。

現実の世界ではありえないかもしれないけど、少なくとも学問の世界では、そのような心づもりが大事かもしれません。日中韓とも一歩引いて見つめることができるからです。

石　なるほど、日中韓という3つの要素を持ちながら、そのいずれとも距離を持つ人は、学問的には非常によいスタンスですね。

日本でつくりあげたアイデンティティ

李　アイデンティティを広くとらえれば、私たちはアジア人です。そこでいったん私のアイデンティティの整理がついていると思っています。石さんはどうですか？

石　李さんの場合より多少単純です。中国で生まれて、中国という国を自ら捨てて、もちろん李さん同様、国に合わないこともあった。私の場合は主に政治的なことで、前にも触れましたが、天安門事件、民主化運動という関係があった。でも、それ以来ずっと日本で生活しています。政治だけでなく、日本の歴史や文化も好きですから。

李　哲学を専攻していますからね。

石　常にアイデンティティのことを考えてきました。自分のアイデンティティは日本で生活しながら徐々につくりあげていくものだと思うようになりました。中国人としてのアイデンティティは環境がつくりあげたものであれば、日本では自分でつくっていくことで、たどりついたところが、やっぱり私は日本人になるのだと。

李　それは大事ですね。

石　ただし、中国を全部捨てたかとなると、そうでもないんですよ。

李　捨てられないですね。

石　中国は4000年の歴史の中で、いろんな文化をつくりあげた。『論語』にしても漢詩にしても素晴らしい文化です。ですから私はいまでも時々、漢詩を詠(よ)むんです。

李　中国語で詠むのですか？

石　そうですね。頭の中で中国語で漢詩をつくるのです。何かに触発されて感じることがあると、漢詩を自然につくります。幸いに中国のそういういいものは、むしろ日本の中で生かされています。『論語』は中国より日本のほうでよく読まれていて、幕末の志士たちの詠んだ漢詩は一流だったのです。だから私にとって日本に帰化するということは、日本人になるのと同時に中国の古きよきものを継承したという話です。

李　継承したというか、中国の本当にいいものは日本に来て生かされている、日本に定着しているんですね。

石　日本に伝わってきた中国のいいものは多くあります。例えば禅もその一つですね。日本ではいま、禅宗といえば臨済宗と曹洞宗ですが、両方とも中国で生まれました。「臨済」というのは中国にあったお寺の名前。「済」という川の水辺にあるお寺です。このお寺で臨済義玄（ぎげん）を開祖として生まれた禅宗が臨済宗なのです。曹洞宗も中国で生まれた。禅宗の伝来と同時に、例えば南宋の美意識、特に水墨画的美意識が日本に伝わってきて、後に日本的「わび・さび」になるのです。こういったものは枚挙にいとまがありません。

李　一番大事な部分は、中国では特殊な人間だけが楽しんでいたということです。

石　そうそう。

李　一方、日本では一般の人が楽しむものになったことが大事なんです。特殊な人間だけがやっていたものが一般庶民のためになった。そこが素晴らしい。だから私は時々、前世は日本人だったのではないかと思うときがあります（笑）。中国には違和感があるけど、日本には違和感がない。最初からそうなんです。

石　私も前世は日本人であるかもしれません。日本の田園風景に最初から親近感を覚えているのです。

李　日本人に対してもそうです。日本では多くの友人ができましたが、ことばや価値観の壁を感じたことはなかった。私は伝記ものを読むのが好きですが、人の運命は人との出会いで変わる場合が多い。伝記の中には「私はゼロから始めた」という人も多いのですが、私は日本での生活をゼロではなくマイナス3000円から始めました。100ドルほどのお金を握りしめ上海から船に乗って大阪にたどりつき、一路東京を目指しましたが、東京までの新幹線代が足りなかった。同じ船に乗っていたハルビンの方に3000円を借りて切符を買ったのが、日本での生活の始まりです。

その後、紆余曲折はありましたけれど、人生の節目節目に素敵な日本の方との出会いがありました。私の周辺には親切な人しかいなかったんでしょうね（笑）。みんないい人だった。

私は中国では生きられない

李 石さんが1988年に来日した後、中国に帰国というか行かれたのはいつですか？

石 胡錦濤政権（2002～12年）が終了するまでは時々行きました。いまの女房と結婚したとき、私が育った四川省の山村に連れていったんです。山村の人々に日本から嫁さんを連れてきたよと。

李　みんな興味津々で、日本人ってどんな顔をしているか見に来たでしょう？

石　はい。みんな見物に来ますね。

李　私が記者になって田舎に戻ったら、やはりみんな見に来た。「記者とはどんな顔をしているのだろう」と。

石　そういう時代でした。

李　そのときの中国は、まだ魅力が残っていましたね。田舎の人々にはかなり純朴さが残っていました。しかし当時も中国人は中国で生きるのは非常に大変だったと思う。

石　ふむ。

李　普通の百姓も大変だけど、官僚になっても金持ちになっても、中国人として生きるのはつらいですよね。官僚になったらゴマをすらなければ生き残れないでしょう。賄賂を贈らなければ、いつ何をされるかわからない。金持ちだっていつお金を奪われるかわからないから、地方の官僚とつるんでいる。それは昔もいまも同じですよね。

石　同じです。だからおそらく盗みをしたり人を騙したりしなくても、自分たちで生きていけるのは百姓だけだった。土地を相手に耕すのですから。

李　最低限の生活をね。

石　むしろ騙されていじめられたほうですね。そういう彼らを守ったのは、李さんご存じの宗族という一族の組織であって、一族から出たら誰もが無力。李さんが仰ったように、結局、中国の文化は官僚がつくり出したものでしょう。中国の思想家はみんな官僚ですね。

李　繰り返しになりますが、中国の一流学者は官僚になる。二流は本を書いたりする。三流は山に隠れて嘆きながら詩を書いたりする。

だから一流官僚は科挙に合格して高い地位に就いて、碁をやったりとか神仙のような生活を送っているように見えるけれど、彼らも直属の上司に対しては賄賂を贈って、ゴマをすって、わざと卑屈な態度を取るなどいろんなことをしないと生き残れないんですよね。私は中国が、こんなことを言ってはあれだけど、嫌いなんです。私にはそういうことは絶対できない。しないし、したくない。

石　われわれが生きる道はここ（日本）しかないですから。

李　ほんとにそう。

石　中国から逃げ出して日本で生き抜くしかない。

李　私は中国では生きられない。生き残れない。

石　われわれが中国に行ったら騙されて、誰かの計らいごと、権謀術数にはまって失脚してしまうでしょう。

李　だから石さんを見ていると、率直にものを言ってすごいと思う。勇気がある。

石　いやいやいや。

李　あまり中国人は自分の考えを素直に言わないじゃないですか。

石　中国ではむしろ、自分の考えを素直に言わない人が評価されますね。

李　評価されるというか出世する。

石　そうそう。われわれの子供時代、大人が子供に教えることは、正直になるのではなくて「本当のことを言ってはいけない」と。「嘘をつけ」とは言わないけど、「外で本当のことは言わないで」と。要するに嘘をついてもいいということです。

李　これも前に言いましたが、中国ではよそに行って「他人事には絶対に首を突っ込むな」といつも教育されます。

石　鉄則です。

李　しかし『水滸伝』の英雄たちは首を突っ込む（笑）。それを理想にしています。

石　そうそう。だからこそ中国では昔から日本でいう任侠的な人々を、彼らこそが正義の味方というふうに仕立てあげる。一方、中国の政治権力は正義とは反対のことをやっている。要するに公の権力が決して公の利益を代表しているわけでもなければ、みんなのためにあるわけでもない。だから公の権力にみんな絶望して、結局、任侠の世界に託す以外ないんです。

要するにヤクザこそ正義の味方で政府が悪徳。だから問題なのです。始皇帝以来、皇帝、朝廷、あるいは政治権力を信じる人は誰もいません。

李　『水滸伝』に登場する林冲（りんちゅう）は、首都開封で70万、80万人の禁衛軍の訓練を司る人物だったけれど、結局、反逆罪で追放されるでしょう。

石　われわれ2人が中国政府に入ったら、5年も経たないうちに追放されるか自分から逃げ出すか、あるいは粛清される（苦笑）。

李　間違いなく粛清されるでしょう。そうされたくなければゴマをすって奴隷みたいになるしかない。

もう中国人をやめました

李　石さんはなぜ中国に関する本をたくさん書くようになったのですか？

石　1988年に日本に来て、まず半年か1年ほど日本語学校に通って、翌89年4月に神戸大学大学院の修士課程に入りました。まさにその月に共産党前総書記（当時）の胡耀邦が急死して、それをきっかけに中国国内で民主化運動の気運が高まりました。

李　そうですね、天安門事件は2回あるんですもんね。

石　ご存じのようにあの頃の北京大学はすでに民主化運動の拠点の一つでした。大学時代はあの辺の連中と「民主主義を頑張ろう」と誓い合いました。84年に北京大学を卒業し、講師として四川大学に配属されました。

李　当時の就職は「分配」といって党が決めていましたね。卒業の半年ぐらい前に採用側が大学を訪ねてきて、要望書のようなものを提出したはずです。私たちは希望を聞かれる機会もありませんでしたし、選ぶ権利もありません。面接もしていません。

石　そういう意味で、あの頃は就職活動をする必要がなかった。

李　たくさんの会社が学生を奪い合っていました。

石　そうですね。李さんは「黒竜江日報」に、私は四川大学にそれぞれ「分配」された。けっこう学生たちを捕まえて民主化を吹聴するんです。それでにらまれたんですね。

李　当時の北京の「空気」は、外国人との接触もあるし地方より開かれていましたからね。

石　中国の先端を走る知識人は北京大学が特に多かった。彼らの運動にもけっこう参加しました。80年代は私自身が中国の民主派青年だったんです。

李 つまり中国の共産党体制をなんとかしなければいけないと考えた？

石 いや、そこまでは思わなかった。あの頃、われわれにとって共産党体制は絶対的でした。でも、共産党を改革して民主主義のシステムを導入するべきだとは考えました。そこで天安門民主化運動が起きた。北京の同級生や以前の仲間たちから「日本でも応援の運動をやってくれ」と手紙が来るんです。日本は民主主義国家ですから応援しますよね。

当時、私は神戸大学にいましたから、同じ志を持つ神戸大学、京都大学、大阪大学の中国人留学生による京阪神横断の連帯組織を立ち上げた。毎日のように大阪の中国総領事館へ行って民主化を請願したり、大阪の梅田や神戸の三宮（さんのみや）でビラを配ったりして、われわれの思いを日本人に訴えました。そして1989年6月4日、例のあの日を迎えました。私の人生が全て変わった日です。

李 天安門事件ですね。

石 私自身が中国人であることをもうやめました。そのあとでなんとか自分のアイデンティティを自分の力でつくり直すわけです。それで現在に至ったんですね。

李 石さんと比べて、私は情熱がなかったかもしれない。6月4日は日光（栃木県）にいたんですよ。韓国の記者と一緒に車で回っていたら、銃声がラジオで聞こえてきた。アナウンサーが「学生に対して発砲しています」と実況していた。私が通っていた上智大学の留学生たちはみんな興奮して、集会を開いたりしたんだけど、私は小さな新聞社で記者のアルバイトをしていて忙しかったし、民主化運動に全く参加しなかった。石さんには申し訳ないけど。

石　その後、私は大学院を修了し、民間の研究機関に就職しました。そのとき中国によく帰っていって国内の反日感情の高まりに触れ、このことを日本人に警告すべく一冊の本を書こうかということになったんです。

李　最初に書いた本は何ですか？

石　2002年に刊行した『なぜ中国人は日本人を憎むのか—憎恨日本』（PHP研究所）です。というのは、ご存じのように1990年代の後半から中国でいわゆる反日教育があって、けっこう反日感情が高まってくるんですね。

李　ちょうど江沢民政権（1989～2002年）のときかな。

石　そうそう。江沢民政権は国内をまとめるために愛国主義教育と反日教育を展開しました。江沢民が日本を訪問したのは1998年だったかな。

李　そうですね。

石　日本で歴史問題を言い出して、日本を叩いたりしましたね。

李　そのまえにも95年に韓国の金泳三大統領と一緒に記者会見をやって、金が「日本をしつけなければならない」とか言って、日本人がみんな怒った。そういう時期なんですね。

中国人女性を夢中にした高倉健

石　天安門事件のあと、私は約2年間、中国に帰国できませんでした。当時はまだ中国籍で、中国に帰ったのは1991年だったかな。その後何回か帰ると、日本に対する「空気」を肌で感じるんです。われわれの時代、歌も映画もテレビドラマもみんな日本ですね。ちなみに李さん、あの頃、好きな歌手あるいは女優さんは？

李　山口百恵さんです。

石　なるほど、なるほど。

李　映画やドラマのなかの百恵さんはいつも可憐な女性を演じたような気がします。守ってあげなければという気持ちになりますよね。それまでの中国映画や小説に出てくる女性は、革命的で強い、言うことを聞かないと殴られそうな（笑）。百恵さんとは正反対ですね。

当時の中国人がみんな同じ感覚を持っていたかは定かではないですが、私はこれぞ、本当の女優だと思いましたね（笑）。

石　ぼくが好きなのは栗原小巻さん。

李　栗原小巻さんには『サンダカン八番娼館　望郷』（1974年、熊井啓監督）という映画がありますね。

石　もちろん観ました。もう一つ、中国で一世（いっせい）を風靡（ふうび）した映画があるでしょう。高倉健さんと倍賞千恵子さんが共演した『遙かなる山の呼び声』（1980年、山田洋次監督）。北海道が舞台でした。

李　あの映画は心にぐさっときますよね。

石　しかも、あの頃の中国の若い女性はみんな高倉健のとりこになった。

李　中国の男性と高倉健は完全に違う。高倉健は目もそれほど大きくないし、飛びぬけてきれいな顔ではないけれども、すごいその……なんと言えばいいのかな。

石　中国の若い女性は一夜にして高倉健のファンになった。きっと当時の中国人女性たちは高倉健以外には理想の男のイメージが湧いてこないんです。

李　『姿三四郎』は観ました？

石　観ました。

李　ドラマ版に主演した勝野洋さんもそうですね。端正な顔つきでね。あれが日本人かという印象があって、当時、中国の女性たちはみんな好きだったでしょう。

石　そうでしたね。高倉健の話に戻りますが（笑）、5、6年間、中国の若い女の子は高倉健をイメージして恋人を探したでしょう？　李さんが女の子たちの前を通ったらわからないけど、私は……。

李　高倉健とけっこう似ていた？

石　何を言っているの（笑）。もう正反対でしょう。

李　はっはっは。

石　私はけっこう被害を受けたんですよ。女の子たちは見向きもしてくれない。みんな「高倉健がいい」と言って、理想の男性のイメージは「背が高くて無口」。反対に私は背が低くて、昔から口が達者だった。まあ、ほろ苦い思い出話はこのくらいにして、話を1990年代に戻すと、その時代から風向きが変わってきましたね。

李　まだ80年代は本当にいい雰囲気でしたからね。

石　何回か中国に帰って、あれ？　違うなと思いました。昔の友人たちはみんな「反日家」となって、酒の席では日本のことが話題になるとみんなの口から吐かれるのは激しい「日本罵倒」ばかりでした。どうしてそんな反日的な雰囲気になったのかと疑問を持ったので、自分なりに中国国内の資料や新聞雑誌を集めて、理由を探ってみました。すると、やはり反日教育があったということがわかりました。それを日本人に伝えて警鐘を鳴らすために一冊の本として出したのが先ほど紹介した２００２年のデビュー作です。それ以来、ずっといまの仕事を続けています。

李　やっぱりそうですか。当時、日本に来た中国の東北人はみんな日本が好きでした。日本にあこがれていましたね。中国の東北地域は、広東省や上海よりも、おおざっぱに言うと5年くらい遅れています。

石　そうそう。

李　私が日本に渡ったときは、ハルビンや東北地域では先駆者なんです。当時、中国の東北人は外国に行くのを怖がっていました。当時は外国に行けばスパイ活動をやるのだと思っていました。私は北京で勉強しながら、日本文化に接して日本の小説も読みました。川端康成の『雪国』は北京で読んだし、三浦綾子の『氷点』も読んでいます。

神秘的な日本の生活に対するあこがれもあったし、好きな映画もあってね。私は最初から中国にずっといるのは嫌というか、日本にいつかは行くと決めていた。だから日本の文化とか、当時、まだ日本のものも中国に洪水のように入ってきたので、日本に対するあこがれがあったんです。

石　なるほど。

李　私だけではありません。当時の若者には日本に対する抵抗感が全くなくて、若い人たちの間でとにかく日本はすごく進んだ、経済が発達した、いろんな珍しいものがあるイメージがあった。ただ、一般の人たちは、まだまだ文革時代の名残りがありました。

石　当時、中国人全体にとって日本は単なる外国ではなくて、文明の進んでいる大変な先進国なのです。日本は最先端の文化と文明を代弁している。そのとき中国の普通の家庭は、冷蔵庫もテレビも当然持っていなかった。中国人にとって日本は進んだ文明国ですよ。

李　いまで言うと火星みたいなものかな（笑）。

石　そうそう。

李　でも愛国教育を始めて、すぐそういう「反日家」になってしまうんですね。

中国映画に武士道を感じた

石　愛国教育は政府主導でしたが、１９９０年代は学校教育だけでなく、新聞やテレビでも盛んにやっていました。
李　ドラマとかね。
石　80年代までは抗日戦争の映画で描かれた日本兵は、共産党軍の偉大さを表現するために、どこか間抜けな馬鹿というか滑稽な描かれ方をしていた。悪役だとしてもどこかかわいくて、にくめないというか。
李　日本の将校は悪人として描いているけど、絶対に降伏しない、屈しないという日本軍人の精神が出ていました。
石　私たちの子供時代は、映画に出てきた日本軍人の口まねをしていました。「馬鹿野郎！」「メシ、メシ」とかね。しかし90年代から日本人の役柄は「殺人魔」になった。
李　中国は、本当にやってはいけないことだけど、外国のイメージも政治が決めた。当時、まだ中国は日中関係を大事にしていた。経済発展も大事だったしね。日本の描き方もどこかで日本の戦争に反逆して日本兵が中国の軍人に協力するとか、そういう描き方があったんです。だから人間として描いた。
しかし、90年代になると愛国教育もあって、想像の世界での殺人魔というか、とにかくデタラメでした。例えば私がよく覚えているドラマのシーンでは、日本軍が攻めてくると、村の人たちが牛車に乗って逃げていく。おばあさんが誤って車から落ちると、追ってきた日本兵が数人がかりでおばあさんを銃剣で刺し殺すんです。そんなことは普通の兵士はしないでしょう?

石　しませんね。でも、そうやって日本軍の残虐さを強調するんです。日本兵がおばあさんや若い女性、子供を惨殺するような場面は大抵想像上のデタラメですが、普通の中国人たちがそれを見れば、やはり日本に対する憎しみを覚えてしまいますよ。まさに中国人の反日感情はこのようにつくりあげられたのです。

李　どうして軍人でもないおばあさんを刺すんですか。日本人は人間として非常に残虐だという描き方です。

もっと昔は、けっこう写実主義でした。穴を掘ってゲリラ戦闘をする映画『地道戦(地下道戦)』(1965年、任旭東監督)を観たことはありますか?

石　あります。

李　そこに出ている日本の将校には本当に武士道を感じました。

石　そうそう。一応、侵略軍として描かれていますが、自分たち子供から見たら本当に格好良かった。

李　銃を持っているのに、死ぬまで日本刀をかざして襲いかかる場面があるでしょう。日本の軍人はすごいなあと感じました。だから日本人の描き方は時代によって違うんです。

石　いまでも『地道戦』のテーマ曲のメロディーを覚えています。♪ガーンガーン、ガ、ガンガン！

李　私はセリフまで全部覚えている。中国で映画技師をやったことがあるから、当時は何十回もその映画を観せられましたよ（笑）。

第5章

中国の欠点をまねる韓国人

韓国人はいつまでも被害者

李 韓国の話を聞きたい。石さんは韓国に関する本を書いたことがあるでしょう。

石 けっこう書きました。高句麗、新羅、百済の三国時代から近代までの国内史に関する本と、もう一冊は朝鮮通信使が江戸時代に12回、日本へ来た話を書きました（後述）。

韓国の歴史は、よく言われるのは朝鮮民族、朝鮮半島は常に外部から侵略されて歴史的に被害者だったということ。確かにそういう面もあったのですが、一方で朝鮮半島の歴史を調べると、半島の中の勢力は、自分たちの中での戦いによく外国勢力を巻き込むんです。

李 新羅（しらぎ）が唐を巻き込んだ。

石 巻き込んで百済（くだら）を滅ぼしたでしょう。

李 絶対にやってはいけないことです。

石 近代になってからも、李氏朝鮮の第26代国王で後に大韓帝国初代皇帝・高宗の妃となった閔妃（ミンピ）と、高宗の父親の大院君との争いの中で、清王朝を巻き込んだ。

李 日清戦争は結局、中国を頼りにしようとする韓国に危機感を持った日本が出兵した。

石 そうそう。当時の大韓帝国が清朝から軍隊を自国に招き入れました。

李 国内問題を解決するためにね。

石　1894〜95年に李氏朝鮮で起きた東学党の乱ですね。自国の中の反乱を鎮めるために外国の軍隊を招き入れるとは本当におかしい。そんな国家は、世界史的にも稀(まれ)です。

李　だからどうしようもなかった。

石　それで清の軍隊が朝鮮半島に入ると当然、日本の脅威になるから、清の軍隊を朝鮮半島から追い出すために、日本は半島に出兵して日清戦争になってしまった。そういう意味で韓国が主張している「自分たちはいつまでも被害者」という考え方は嘘です。

李　自分で自分たちの首を絞めている。

石　むしろ日本が被害者です。巻き込まれたわけですから。663年の白村江(はくすきのえ)の戦いも日本が巻き込まれ、被害を受けた。朝鮮戦争でも巻き込まれた国はあります。北朝鮮を建国した金日成（1912〜94年）が韓国に攻め込んで、敗退した韓国政府がアメリカに支援を頼むと、米軍を中心とした国連軍がまず朝鮮半島に入って北朝鮮と戦いました。その国連軍と対抗するために金日成は中国共産党政権に出兵を嘆願した。これで中国も巻き込まれて朝鮮戦争に参戦したのです。

李　金日成が何度もソビエト連邦首相のヨシフ・スターリン（1879〜1953年）にお願いに行って、スターリンは最初断ったけど、当時、中国が内戦で毛沢東が蔣介石を打ち破ったのに、アメリカが強く出なかったからスターリンがこれはいけると決めるんですね。それはともかくとして、近年は韓国が慰安婦問題で日本にかみついたり、いろんなことをやっているじゃないですか。慰安婦問題は韓国にとって恥だと思うけれど、どう思いますか?

石 一つの焦点は、日本軍によっていわゆる強制連行があったかどうか。もし強制連行があったなら、韓国人女性が被害者です。しかし、私は日本軍による強制連行はなかったと思います。

李 その視点も踏まえて……。

石 強制連行がなかったら、加害者は日本軍というよりもむしろ慰安婦あっせんの国内ブローカーになります。

李 慰安婦の「性奴隷説」を否定した米ハーバード大学のマーク・ラムザイヤー教授の論点がそれですね。ただ、歴史事実はこれから争われていいと私は思っていますが、問題はそれを全世界にアピールしながら、何か日本が私たちの祖父母の頃から悪いことをしたかのように言っているのは、先ほどの韓国のどうしようもないことともつながります。自分たちの妹や娘を、そんな扱いをしていた業者に売ったりとかね。それは韓国にとって恥ずかしい歴史なのに、なんでいつまで経っても世界中にアピールしているのか。

石　その精神構造が私にはわからない。

李　私もわからない。

石　もし一つの可能性として言えば、逆に、歴史上多くの屈辱を味わった韓国人は、被害者になりきることによって「私の責任ではない」ということにしたいのではないかと。

李　相手は悪い人間だから、自分がやっているのは全部正しいと。

石　そうそう。どんな屈辱があって、どんな恥ずかしいことがあったとしても、誰かを加害者に仕立てれば、自分は全ての責任から逃れられるんじゃないかと。

李　構図は非常に単純で、うちのおばあさんが誰それに暴行されたというのを、ずっと自慢しているのと同じことでしょう？

石　不思議です。しかも人が知らないことだけを心配して、「みなさん、知っていますか？」と訴えている。「うちのおばあさんが暴行されましたよ」と。その神経がわからない。

李　神経が理解できないし、そのとき誰がやったかというのはわからないんだけどね。しかも１００年近く経っているでしょう。

石　戦後70数年経ちますからね。

李　そういうことをいまだにやっている韓国人は、本当に救いようがないと思う。

石　先に民族のアイデンティティの話が出ましたが、韓国人はこれがないといまの国民をまとめる軸がないのではないか。要するに一種の被害妄想で、これで国民意識を持つことになるのでしょうか。「われわれみんな被害者だよ」と。

李　中国がいま、そういう問題をあまり出さないのはなぜですかね。

石　中国は同じようなことをもっと大きなスケールで考えていますよ。ただ、中国人がいまでも民族の一体感を保つために使ったネタはアヘン戦争（１８４０～42年）でしょう。

李　もっとでっかいもの。

石　そうそう。中国では習近平が「民族の偉大なる復興」を盛んに唱えていますが、その背後にあるのはまさに「屈辱史観」です。習近平たちからすれば、近代以前の中国は世界の頂点に立って栄光の地位にあったが、アヘン戦争を起点にイギリスに打ち破られて散々いじめられた。フランスにも散々いじめられた。全ての西洋列強にいじめられた。最後は日本にまでいじめられた。「こういう屈辱の歴史があるからこそ、われわれ中華民族は一致団結して屈辱の歴史を清算して、民族の復興を成し遂げていこう」と。結局、中国も同じです。ただ、もっと大きなスケールでとらえている。こうした被害妄想がいまの中国と韓国のアイデンティティをつくっています。ただ、この２つの国は手に負えません。

成功の証は権力者になること

李　韓国の善し悪しの価値観を見てみると、中国と似ています。私は韓国の起業家たちをけっこう尊敬している。財閥企業の中でサムスングループなどは、役員になると年俸で１００億ウォンや２００億ウォンももらいます。そうであるのに、政府から例えば郵政事業を統括する長官にならないかと誘われたら、喜んで引き受けたりする。盧武鉉（ノムヒョン）大統領時代にそういう人間がいた。やっぱり官僚になりたいんですね。

韓国での成功の証は官僚になること。権力を握ること。私だったら、せいぜい5年しか続かない政権で、わけのわからない官僚になるよりは、企業で自分の道を極めたほうがよっぽどいいと思いますけどね。

石　まあ、そうですね。

李　しかも韓国の学者で、日本でも「玉ねぎ男」として話題になった元法相の曺国（チョグク）はソウル大学教授でしょう。権力にしがみつかず官僚にならなかったら、そこまでみじめにはならなかった。曺国の妻は懲役4年の実刑判決を受けて、刑務所に入っています。娘は医師免許を取り消される危険があって、彼女が勉強していた釜山大学医学専門大学院の入学資格をはく奪される可能性がある。曺国自身も罪状は汚職、文書偽造、証拠隠滅など10件を超えています。そこまでやられながら、やっぱり権力者になりたい。学者でいいでしょうに。どう思われます?

石　中国の影響と朱子学が大きいですね。おそらく中国本土よりも朱子学を徹底的にやったのは李氏朝鮮です。統治した期間は600年くらいかな?

李　約500年です(1392~1897年)。

石　中国では秦の始皇帝以降、李氏朝鮮のように500年続いた王朝はありません。しかも徹底的に朱子学をイデオロギーとして利用した王朝は中国にもそれほどありません。明王朝が朱子学を推奨していたが、朝鮮ほどでもない。

朱子学の基本原理は、一つが自然のままの本性である「天理」と、外部の刺激から起こる欲求の「人欲」との対立です。朱子学の世界観は実に簡単で、素晴らしいものは天のことわり、悪いものは人間の欲望です。だからこそ朱子学は人間の欲望の抑制に全力をあげています。「滅人欲」は朱子学のスローガンとなっています。人間の欲望の最たるものの一つは下半身の欲望ですから、朱子学のもとで性的関係は徹底的に厳しく統制されます。特に女性の性欲が厳しく抑圧されています。女性は夫が死んだら……。

李　再婚しては駄目。

石　そう。しかも夫が死ねば、妻も死を選ぶよう迫ります。これを「殉節(じゅんせつ)」と言いますが、中国では清王朝の３００年間で５００万人を超す女性が犠牲になったと言われています。こんな朱子学に中国と李氏朝鮮は５００年以上も毒されてきました。

そして、「滅人欲」の思想のもとで、朱子学は徹底的に商売人を排除する。もちろん社会的に商売人は必要ですから、朱子学者もお酒を飲みたくなったら店に買いに行かなければならないから完全に排除はできない。けれども徹底的に商人の地位を貶(おとし)めて、一番賤(いや)しい地位に追い込むのです。

天のことわり、天の道に近づくには、日本でもよくいう「修身・斉家(せいか)・治国・平天下(へい)」。最後は天の道に近づくのは、自分の身を修めて、家を整えて、官僚になって国を治めて、最後は天下を平定する。官僚になるのはそれこそ理想的だという考え。だから朱子学のもとでは商売人は一番賤しい存在なのです。

李　韓国にはその考えが根強く残っていて、商売人を昔から敬遠する風潮がある。韓国にはヤンバン文化というのがありますが、ヤンバンは貴族、上流階級のことだから基本的に仕事をしません。ヤンバンの始まりは官僚なんですね。王様が南に向かって座って、両側の西と東に武官と文官が両側に……。

石　ヤンバンは漢字にすると「両班」ですね。

李　韓国語で「ヤンバン」といいますが、それがいつの間にか貴族の代名詞みたいになった。ヤンバンの一番悪い部分は仕事をせずに所得を得るところです。昔からせっせと汗を流すのは一番低い階層とされた。この文化が５００年の朝鮮の歴史に根付いて、仕事をせずにどうやって富と権力を手に入れるかを考えてしまうようになったのです。

日本は韓国にとって「野蛮な国」

李　韓国には『両班伝（ヤンバン）』という有名な小説があります。出世に失敗したある知識人が書いたヤンバンを揶揄する小説です。主人公の男はお金はあるけれども、商売人だからみんなから軽蔑されています。しかしヤンバンは何もないのに、道の真ん中を堂々と歩きます。主人公はヤンバンが通ると顔も上げられず、通り過ぎるのをじっと待つ。そこで自分もヤンバンになりたくてヤンバンのところへ行き、どうすればなれるのかを尋ねます。「ヤンバン」をお金で買おうとします。すると、ヤンバンになると、こうしなければならないといろいろ教わるのです。食事をするときは時代劇のようなかぶり物をかぶったままにしなければならないとか、こういう仕事をしてはならないとか、いろんな決まりごとを聞かされるわけです。そこで嫌になってヤンバンを買うのをやめるという話です。

李氏朝鮮の文化を表しているのがヤンバンと、礼儀知らずの卑賤(ひせん)なやつという意味でも使われるサンノムですが、サンノムはいくら勤勉に働いても生涯惨めに生きることになります。だから、みんな仕事をせずに暮らせるヤンバンを目指す。ヤンバンを金で買ったり詐称したりして、ヤンバンはどんどん増えました。李王朝末期頃になりますとヤンバンは総世帯数の半分になります。

石　もう駄目になって社会が回らなくなるわけですね。

李　それでもいまだにヤンバンはいいことばとされていて、韓国では「あの方」のことを「あのヤンバン」と言います。

石　敬称のように尊敬の意が多少あるわけですね。

李　ヤンバン文化は韓国には百害あって一利ない文化ですけれども、いまだにそれをよしとする風潮が残っている。他人の苦労は当然と考えて、自分は仕事をせずにお金をもらうのも当然と思うような文化です。

石　朱子学のもう一つ極端なところは、中華と夷狄（いてき）の世界の絶対的な対立です。というのは、朱子学が生まれた背景には南宋の存在があります。

南宋こそは夷狄にすごく圧迫された王朝です。南宋の前身は北宋王朝ですが、北宋はもともと中国の大半を支配していたが、北方の異民族によって滅ぼされました。そこで北宋王朝の生き残りの王族が中国南部に逃げて、いまの杭州に首都を置いて南宋王朝を建てましたが、国土の半分を異民族に奪われたままです。しかも毎年、この異民族に朝貢しなければならない。南宋が野蛮民族に対しシルク（絹）などを朝貢する立場になるわけです。

漢民族としてすごくプライドを傷つけられます。プライドを傷つけられた文明をどう守るか。余計に「私たちは偉い」と考え、周辺民族を人間以下のものとして貶めます。それで自分たちの中華の絶対性を主張する。だから朱子学においては中華思想が極端に肥大化したのです。その精神を一番受け継いだのが李氏朝鮮です。だから朝鮮王朝の末期、高宗の父親である……。

李　大院君。

石　そう、大院君の時代に、あちこちで外国を排除する石碑まで建てた。これが私から見れば李氏朝鮮からいまの韓国に受け継がれた、自分たちの民族絶対性を主張して、どこかの民族を徹底的に貶めて自分たちのプライドを保つ方法です。たまたまいまの日本は、韓国にとっての夷狄であり野蛮民族になっているのです。

李　要するに、韓国の人たちは自分たちの価値観で世界を考える。石さんが仰るように中華帝国があり、中華帝国の統治が及ぶ中原という地域があって、その外縁に中国に朝貢する国があって、その外にいる民族は全部野蛮民族、夷狄なんですね。韓国は中国に朝貢できる身分、野蛮民族から逃れて「小中華」になった。「中華ではないけれども、小さな中華だ」と言って、小中華の歌まである。日本という国は、中国や韓国の価値観や、頭で描く世界では野蛮民族に属していて、自分たち韓国人は文明圏に属しているという考えが昔からあった。

　ところが、日本が韓国の支配階層が崇拝してやまない宗主国の清を破ったので、最初は本当に戸惑う。何か間違いが起こっていると。日本に対する屈折した優越感と、中国に対しては昔からの事大主義の名残りが残っていたから。その世界観からいまだに抜け出せていない感じがします。

石　しかも韓国はおそらく中国に対しては事大主義で、頭を下げる。その代わりどこかの民族を上から目線で馬鹿にする。こうやってバランスを取るんです。

李　基本的な構造はそんなものですよね。近代の韓国の知識人には、どこかで日本を野蛮民族のように描写している論文や本がたくさんある。しかも彼らなりに日本を軽蔑する風潮があるのは、自分たちは力で何かをする日本の武士道のように野蛮なことをせず、きちんとした文化、知識を持って国を統治していると考えているからです。だから根底では、近代になって韓国が日本の植民地にされたのは、韓国が腐敗して力が弱くなりどうしようもない落ちこぼれになったからではなく、日本という国が力しか知らない国だからやられたと考えているのです。

石　そうそう。

李　韓国人にしてみれば、自分たちは文化や知識を大事にする国なのに、野蛮人にやられたという恨みはあります。そういう屈折した感情がある。いまだに文在寅大統領が「日本の植民地統治は不法だ」と主張する背景には、当時の大韓帝国は日本の植民地になることに署名はしたけれど、力に威嚇されて署名したという意味が込められています。武士道では力に押されたとか関係なく、署名した時点で負けですけどね。でも韓国ではそうは思わない。ぐずぐずしている。根本的に価値観が違うんです。

日本は力はあるけど道徳的には下

李　長い歴史の中で、韓国ではよく言えば文官が武官よりもずっと上に立っていて、文官が統治する国だったという伝統もあるかもしれませんね。

石　実は力に負けて、力の正当性を認めない。むしろ、より高いところから力を蔑視する。それはまさに朱子学です。

李　南宋がそうだったんですね。

石　そう。南宋が後の朝鮮と同じ立場です。南宋は異民族（女真族など）に国を半分奪われて、皇帝さえ連行されて力に負けた。だからこそ理想理念、思想の世界で相手より上に立ち、「おまえたちは力以外、何もないじゃないか」と言って自分たちのプライドを保つというのは、まさに朱子学です。朝鮮はやはり朱子学が必要なんですよ。統治者の心の中では朱子学によって朝鮮が救われるんです。

李　それをもって道徳的には自分たちが上で、日本は力はあるけど道徳的には下だと。その精神構造はいまだに続いているんですよね。

石　道徳的に上に立つからこそ、逆に相手が道徳上の存在としか認めない。だから心の中で徹底的に蔑視するのです。そもそも相手が同じ道徳レベルじゃないから、相手との約束を守る意味もない。同じ世界の人間ではないと判断します。野蛮人と約束を守るはずがないと。だから安倍晋三前首相と約束したことも、あとで反故にしようがどうでもいいと思っている。相手（日本人）はどうせ野蛮人だからと。

李　だから、根底には相手が野蛮で理にかなわない存在であることを確認すれば安心できるというのがあるからこそ、絶えず「謝罪しろ」とたぶん言っているんですよ。「謝罪しろ」というのは仲よくするためではなく、相手が本当に悪い人間だということを確認するためかもしれない。

石　実は最近、そういう精神構造を、中国がアメリカに対しても同じように持っています。中国は自ら認めているようにアメリカに経済力も軍事力も技術力もまだ負けている。しかし、最後に中国人は「あいつら（アメリカ人）はやっぱり文化がない野蛮人だ」と考える。

李　アメリカ人は野蛮だと。

石　最近、中国が「アメリカ人は野蛮である」と決めつけたすごい証拠が出たんですよ。２０２１年3月19日、アメリカのアラスカで行われた米中外交トップの会談です。

李　ありましたね。

石　中国から外交担当トップの楊潔篪共産党政治局員と王毅国務委員兼外相が行きました。場所はアメリカですから、中国人からすれば自分たちはお客さんでしょう。しかし、アメリカ側は食事を出してくれなかった。それで晩飯も昼飯もホテルで自分たちだけで食べた。楊はインスタント麺を食べた。同時に中国側は「侮辱であった」と大いに宣伝する。「アメリカ人は文明社会の最低限の礼儀を知らない。だから野蛮人だ」と。

その後、中国が胸を張って何をやったかというと、次の週にロシアのセルゲイ・ラブロフ外相が中国に来たら、王毅はわざと盛大な一席を設けて歓待したんです。わざわざ宴会の写真を載せて、「われわれこそ文明国家で、お客をもてなす礼儀を持っている」と見せつけた。そこでアメリカに勝ったつもりです。

李　これね、本当に笑い話に聞こえるかもしれませんが、中国の一般の人たちにはこの論理が通るんですよ。

石　通ります。おそらく北朝鮮でも韓国でも同じように通る。

李　しかし、よくよく考えたら、激しいバトルを繰り広げるのに、中国の官僚がアメリカの接待を受けたら国益のために戦えないでしょう。だから持参した飯を食べて臨まないと、公正な話し合いができない、という発想は全くない。

2002年、北朝鮮に拉致されていた日本人を取り戻すため、当時の小泉純一郎首相が平壌に乗り込んだとき、おにぎりを持っていきました。最高指導者の金正日(キムジョンイル)はちょっと相手の戦意を削ぐためというか、虚勢をはって盛大な宴会を用意したのに、小泉首相は断った。中国がアメリカと話し合うのであれば、そうしなければならないでしょう。

石 南宋に話を戻すと、南宋もかわいそうな立場ですけど、朝鮮を一番駄目にしたのは、私から見れば朱子学。加えてもう一つは精神的勝利法です。実力では負けたのに精神的にはあいつらに勝ったと。その根拠は、われわれは文化的な高みにあるという信念です。この精神構造はすごいよ。

李 だから、魯迅の小説『阿Q正伝』では、中国人の悪い習慣、悪い精神構造が阿Qという人間にそのまま表れます。彼こそ精神的勝利法で、自分のほっぺを叩いて「手は自分のもので、打たれるのは相手だ」と言う場面があるんですよ。

石 だから、あちこちで慰安婦の像を建てるのは、本来であれば自分たちの頬を叩くようなものでしょう。しかし、叩かれているのは日本だと思っているから、彼らはこれで満足なんです。

李 そうそう。

石　あの像を建てたことで恥を知るのは日本人だと思っている。実際は自分たちのおばあさんたちを侮辱したのに、痛くなったのは日本ですから。

李　まさに精神的勝利。なんでそういう精神構造になったかというと、中国文化を日本と違う形式で受け入れたからですね。

石　日本は中国文化の真髄を受け継いだのに対し、朝鮮は中国文化の一番悪いところをもらったのですね。

幸いに日本は「科挙」制度がなかった

李　朝鮮半島の場合は中国の統治方式や官僚制度を学んだけれど、空海をはじめとする日本のお坊さんは中国に行って、一番美しいものに惹かれ、そういういいものを日本に持ってきて、さらにそれを極めていくんですね。しかし、朝鮮の統治者たちは中国の皇帝がやっていることをまねした。全部うらやましかったんでしょうね。

石　科挙制度や宦官制度などなんでも取り入れた。

李　日本は科挙制度もなかったし、逆に韓国からすると日本に科挙制度がないのは……。

石　野蛮だと。

李　そう。こうした文化は近代にも残っていて、例えば外国から入る科学技術の知識に当時の日本の幕府は非常に興味があって、正確に翻訳する人たちを厚遇しました。そういう職業に携わる優秀な人材がたくさん育ったんです。しかし、韓国では通訳の仕事に携わる人間は、知識人の中で一番下っ端で何もできない人間であると差別をする。優秀な人材というのは科挙でチャンピオンになって、王様のところのお婿さんになるとか、そういう道しかなかった。日本がここまでアジアで早く栄えたのは、外国の科学技術や実用的なものに対する好奇心が旺盛だったからですね。

石　そうそう。

李　韓国の場合は一番下っ端の人間がやることであって、ヤンバンはそういうことはやらない。

石　朱子学にも関連あるけど、科挙制度のいいところはみんなに開かれて、誰でも試験に合格すれば官僚になれること。公平な制度に見える。しかし、問題はここです。誰でも試験に合格すれば官僚になれるのは、人間にとって一番素晴らしい道です。そうなると有望な青年にとって、科挙に合格して官僚になるのは唯一の立身出世の道となるのです。時には毎年受験しては落ちて、60歳になっても受験する人がいる。

李　そして受かったとたんに頭がおかしくなる（笑）。そんな人物を描いた『範進中挙』という小説がありますね。その時代の文化を表している。

石　しかし科挙制度に合格するには知的創造はいりません。新しい学問をつくったら逆に合格できない。古い「四書五経」を完全に読み込んで暗記すれば合格できる。こういうやり方だと知的創造が生まれてこない。青春時代の一番いい時期を、ひたすら覚えることに費やされる。そうなると個性的な人間は出てきません。

一方、日本では江戸時代のように蘭学をやる人もいれば、ものづくりに励む者もいる。みんなそれぞれの道を極める。中国と韓国では唯一の道が科挙。だから文化的にも技術的にもレベルが落ちてしまう。

私は以前、『朝鮮通信使の真実　江戸から現代まで続く侮日・反日の原点』（ワック）という本を書きました。江戸時代に、朝鮮王朝で一流の知識人が通信使として12回派遣されてきます。

日本の滞在記や旅行記を読んだらわかるけど、彼らは日本の市場経済、文化の繁栄に驚きます。大坂や江戸の繁栄ぶりに圧倒されます。江戸時代の日本の経済、生活レベルははるかに朝鮮を超えていたのです。

しかし、そこがまた面白い。彼らはそういうものを目にすると、結論は「けしからん」となる。日本はそうあるべきではないと言うのです。最後はやっぱり「日本人は野蛮人だ」と貶めてかろうじてプライドを保つわけです。

李　しかも問題なのは、いまもそういう傾向がありますが、韓国の知識人は金持ちか権力者の家に生まれなかったら科挙には挑戦もできません。

石　科挙試験自体は難しいからですね。

李　小さい頃から毎日漢字を覚える。字も立派じゃないと駄目なんです。

石　一般庶民の家には字を書く紙もなかったですからね。

李　韓国は日本が植民地にするまでは95％以上が字を認識できない人たちばかりだったんです。だから、ごく一部の人間だけが字を習って、それを特権だと思っている。そういう人が官僚になると特権意識が強くなる。日本の場合は知識人は知識人、武士は武士、職人は職人と分かれて、自分の道を歩くというか極めようとします。しかし、韓国は科挙に合格して権力者になることが唯一出世の道だった。科挙にさえ合格すれば、名誉もお金も権力も全てを手にできますからね。日本は、権力と富とがすこしは分散されている。

石　そうそう。

出世の目的は家族のため

李　権力そのものも、日本の場合は昔から分散されている。天皇は天皇というだけで存在そのものが尊いものであって、それを奪っても自分たちにとっては意味がないから天皇には天皇としての役割があった。権力者たちは自分のやるべき分野があらかじめ決まっている。

韓国の場合は、朱子学と言ってますけれども、権力が昔から王様や官僚に集中し、権力さえあれば富も名誉も全て自分のものにできるから、それだけ追求すればよかった。ほかのことはやらなくていいから、全然違う文化が生まれるんですね。

石　もう一つが、いまの話と関連がありますが、日本は幕藩体制の中では藩というものがあって、藩は多くの武士の家の集まり。しかし、武士にとっては自分の家以外に藩も家でしょう。中間集団が存在する。藩が武士にとっての一つの公です。また、普段は意識していないけど、黒船が来ると各藩の志士たちは日本という天下を意識する。しかし朝鮮と中国の場合、李氏朝鮮、その下は本当の意味での公がない。

李　本当にそう思います。だから韓国のいまの文化にも根強く残っているのは、例えば公のために何がいいかという判断よりは、家族や自分が所属している集団、あるいは自分のボスにあたる人を優先的に考える。たぶん昔から朝鮮の官僚たちは、出世する目的は、国家のためでもなく、あくまで一族のため。

石　中国でも同じです。官僚になるのは地方の民のためでなく、一族のためです。その一方、権力の序列に対する意識も強いですね。

李　意識していますね。だから中国という巨大な中央集権国家の隣に、ある意味、寄生してきたので、権力とか強いものにへつらう文化は……。

石　逆にその対照として、自分たちより弱い、下だと思えば徹底的に……。

李　勝手に序列をつくる。

石　ただ、彼らは永遠の序列の中で中国は上、日本は絶対に下でなければならない。

李　その思想が結局、朝鮮を駄目にしたんですよ。例えば韓国は明朝に朝貢外交をした。しかし、明が清にやられて、明がすでに駄目になっているのに朝鮮はそのことを知らない。清は野蛮、明は大事な国……。

石　朝鮮王朝が明王朝の最後の崇禎帝（すうていてい）の年号までしばらく密かに使っていた。

李　そこで清にやられます。

石　南漢山城(ナムハンサンソン)の話ですね。

李　映画もあります。そこまで攻めてきて、結局、自分たちは尊敬されるべき存在で野蛮民族の上に立つと思ったのに、清が入ってきて南漢山で王様を捕まえて……。

石　朝鮮の王様に清朝の敬礼法である三跪九拝(さんききゅうはい)をさせた。

李　三跪九拝をさせて、朱子学にどっぷり漬かった臣下たちが泣きじゃくる。王様が野蛮民族に土下座したということで、自殺した人もいます。でも、その歴史の繰り返しですよ。当時、日清戦争で日本が勝ったのに、韓国のほとんどの人が信じようとしなかったのも同じことですね。

私は新聞史を研究していますが、日清戦争中に日本の外務省が民間人に委託してソウルで「漢城新報」という機関紙を発行していました。韓国語と日本語でつくって戦地のニュースを載せる。当時、韓国には新聞もなければ、このことを知らせる手段もなかった。だから韓国の人は日本は中国に勝つなんてありえないと。

石　ありえないか（笑）。

李　そこまで中国に対する幻想が続いて、一方で日本は遠い海の向こうの野蛮民族だという意識が残っている。

石　そこで李さんに聞きたい。朝鮮人と朝鮮社会は、基本的な価値観とか行動原理とか、中国と根本的にどう違うんですかね？

李　中国もメンツは大事にしますよね。

石　ああ、するする。

李　それから中国と根本的に違うといえば、韓国は儒教の儀式をいまだに厳格に行っていますね。

石　形式に中国人はけっこういい加減ですが、韓国人はこだわりますね。

李　韓国の主婦で不満が大きいのは、年がら年中、すでに亡くなった先祖のために親族が執り行う儀式です。名節ごとに4月にもやるし、お盆休みも、お正月も、忌日にもやる。食べ物をたくさん積んで、親戚を全部呼んで、死者におじぎをしたりする。食べ物を準備しなければならないし、一族の世話をしなければならない。それが根強く残っている。むしろ、中国で発祥した儒教が変形した形で韓国に流れてきて、そのまま進化もせず、いびつな形で韓国に根付いた感じがする。

男尊女卑とか、7歳を超えると男女が席を共にしてはいけないという「男女七歳不同席」とか、韓国では日本の植民地になるまではそんな思想が残っていた。

石　儒教の一番しょうもないところばかりです。

李　おおざっぱに言えば、中国の一番いけない部分を韓国が吸い取った。しかもいまだに大事にしている。

石　そういう意味では中国人よりクソ真面目ですね。中国人は、けっこういい加減。

李　韓国人は儀式をきちんと守る。うちも族譜（系図）がまだあるけど、例えば昔はきょうだいが多かったでしょう。きょうだいが多いと序列関係が厳しくなる。

石　例えば李さんのお父さんの弟は、李さんより年下であっても、李さんは自分より若いこの人に頭を下げる。

李　敬語を使わなければなりません。序列社会は厳しい。

石　会社社会もそうでしょう。序列の厳しさは中国人以上です。

李　中国は年寄りがテーブルについてもお互いに気にしない。韓国では一緒に乾杯とは言わない。形式にこだわる。

石　中国人はもっと実利で判断します。

李　韓国人は大義名分に執拗にこだわる。酒をつぐときのしぐさとかね。そういう古い儀礼が残っている。それを善しとすべきか悪いとすべきかは別にして。日本人の多くは好意的にとらえる場合もあるし、それがある意味、息苦しい韓国社会をつくっているかもしれません。

なぜ大統領を選んでは捨てるのか

石　韓国は序列関係が厳しい一方で、大統領になった人は最後、その多くが刑務所に入るのはなぜなんですかね。上に立つ人を引きずり下ろすのは一種の「祭り」なのか？

李　韓国は中国以上に家族単位の結束というか家族の価値を重んじます。例えばある家族で頭のいい人が一人いれば、親戚みんながお金をつぎ込んで出世させようとする。

石　昔の中国の科挙受験と同じ構造ですね。

李　出世した人は、自分だけがいい生活をしていい思いをするのは駄目なので、まわりの面倒を見なければならない。韓国という国の「文化」では、大統領も同じです。大統領になったものは一族の面倒を見なければならない。家族は一心同体で「経済共同体」ですからね。そこで大統領の家族は大統領の分身とみなされるため、普通の民間人であるはずの大統領の家族や親族にも巨額の賄賂が贈られます。

盧武鉉の場合は兄は農民でしたから兄を長官にさせるわけにはいかない。それでも絶大な力を持っていました。誰か大統領に何かを頼もうとしたとき大統領に露骨にお願いするのは難しいでしょう？　そうすると大統領と一番親しい人を探す。当然ながら大統領の奥さん、息子、兄弟、親戚に近づくんです。

大統領の兄弟は、兄だったら自分がここまで苦労して弟を支えたと。盧武鉉の場合がそうですね。だからすこし賄賂をもらって、裏で悪いことをするのは当然だと思ってしまう。本人だけでなく、韓国人全体がそのような意識を持っています。大統領の息子は、大統領と同じような権限があると思っているんです。

石　なるほど、一族による権力の完全私物化ですね。

李　日本だったら菅義偉(すがよしひで)首相の息子に菅首相と同じような権力があると思って巨額の賄賂を贈ろうとする人はまずいないでしょう。

石　実際は逆に接待する側でしたが（笑）。

李　しかし金大中(キムデジュン)が大統領のときは、ある企業が金大中の息子に３０００億ウォンの不良債権をチャラにしてほしいと依頼して賄賂を贈ったとされているんですよ。息子が金融機関に電話をして債権放棄を迫り、本当にチャラにしたと言われています。そんなことが日本で通用しますか。韓国人の意識の中では、大統領の息子は大統領の分身と思っているんですよ。

石　この「病気」は中国と全く同じです。家族があって公がない。

李　そのときはみんなが群がって忖度するからいいですよ。しかし、親分が権力をなくしたら、何もできなくなる。だから新しく大統領になった人は、自分はそういう人間ではないんだと見せるために、前任者の不正を全部あばく。

その根底には、私の言い方では「ウリ文化」があります。つまり韓国の歴代大統領の親族が、大統領退任後に捕まることが多いのは、ウリの文化があるからです。ウリというのは、例えば北朝鮮の対外宣伝媒体の「わが民族同士」があるでしょう。それが韓国語だと「ウリミンジョッキリ」なんです。ウリというのは「われわれ」と翻訳しますが、特別な意味がある。日本では「うちの母」とか言うでしょう。しかし韓国では「ウリオンマ（われわれのお母さん）」と言います。私の母ではなく、わが一族、すなわちわれわれの母になる。父も同じです。大統領もウリの一員ですから、ウリと呼ばれればわれわれは一心同体という意味になる。

石　ああ、「ウリ文化」は腐敗の温床なのですね。

李　私自身は韓国に住んだことはなく、旅行で行くことは多いのですが、一番長く滞在したのは3カ月程度です。それでも私が韓国に行くと、「ウリ」として韓国人とみなしてくれます。本音で接してくれるのでありがたいし、韓国のことがよくわかります。

大統領を「ウリアボジ（われわれの父）」と呼ぶ人（息子）は本当は大統領とは別人格だけれども「一つの人格」になってしまう。だから北朝鮮が韓国を騙すときは「ウリ民族」という具合に使います。本来は「わが民族」なのに「われわれ民族」と。繰り返しますが、韓国の一般の生活でも、母親は「わが一族のお母さん」であり、一心同体であると。その意味では家族の結束というか、よく言えばつながりが非常にある。

石　しかし、家族のために悪いことをやるのは、誰も悪いとは思っていない。

李　そこが問題です。

石　善し悪しの判断基準は、家族のためになるのが「善」です。この最後の判断で、価値観がにじみ出ます。

李　やっぱり孔子がいけないんですよ（笑）。孔子は人を愛することを難しく考えずに「家族を愛しなさい」と言った。公を愛しちゃ駄目なんですよ。

石　中国も同じです。江沢民がトップになったら江沢民の息子もトップになったつもりになる。息子から孫まで儲かっている。収賄罪などで無期懲役判決を受けた周永康・元政治局常務委員も、直接収賄はしない。何百億のお金を収賄したとされるのは、周永康の女房と息子なんです。

公と家族の関係は中国と同じ

李 中国も韓国も同じですね。最初に民主化運動を行って大統領になった金泳三の息子は選挙に介入したり、企業の口利きをしたりして、韓国では「小統領」と呼ばれていた。結局、あっせん収賄の罪で刑務所に入りました。

前述の金大中には3人の息子がいて、3人とも捕まった。金大中に直接賄賂を贈ることができないから、奥さんに贈ろうとした。しかしそれはできなかったため息子に贈ることになった。任期1年を切った2002年5月、金大中の三男が収賄の疑いで逮捕されました。容疑は現金や株券など36億ウォン相当を受け取った上、贈与税を脱税したというものです。そのうちの16億ウォンは賄賂と認定されました。

三男の逮捕から1カ月後には、次男も収賄の疑いで逮捕されました。彼が前項で触れた「不良債権をチャラに」させた張本人です。国会議員だった長男も人事をめぐって賄賂を受け取ったとして金大中の退任直後に在宅起訴されました。

盧武鉉の場合は自殺しましたけど、彼の故郷の地名が烽下（ボンハ）なんです。その兄は韓国で「烽下大君（デクン）」と呼ばれた。大君は、王様の父または兄を指す場合が多いですが、朝鮮朝最後の王様の父の場合は、絶大な権力をふるったので「大院君」と呼ばれました。その大院君と同じです。

石　わっはっは。

李　例えば選挙で公認候補になるには彼のところに行けばできるわけです。

石　はあ。

李　盧武鉉の兄はたしか30億ウォンくらいを提供され、その一部を受け取った疑いで捕まった。奥さんも賄賂を受け取るんですね。息子がサンフランシスコに留学していましたが、大統領が南米に会議に行く機会を利用して、途中、奥さんは息子にお金を渡したかったんでしょうね。知り合いの会長に１００万ドルを現金でほしいと言った。韓国の法律では、銀行からすぐ出せる外貨は１人１日１万ドルです。それでその会長は社員70人くらいを動員して70万ドルを引き出し、結局１００万ドルをスーツケースに入れて大統領府で奥さんに渡したら、それもばれた。

盧武鉉の妻や息子、娘はいずれも賄賂をもらった疑いが持たれたんですが、結果的には盧武鉉が自殺したから追及を逃れた。これも韓国らしい。

李明博（イミョンバク）は兄が政権末期に捕まったでしょう。朴槿恵前大統領はそれを知っているから、弟と妹がいるけど大統領になって4年近くの間に一度も大統領府に呼んでいません。しかし、みんなそのことを知っているから、朴槿恵と誰が親しいかと探りまくる。まさにその友人、崔順実（チェスンシル）がいたわけです。

石 朴槿恵の命取りとなった女性ですね。

李 そこに近づいて、「あなたの娘は馬に乗るだろう。馬を貸すよ」とかそういうふうになった。それが韓国文化と言えばいいかもしれない。

石 よくわかりました。韓国の社会システムは民主主義国家だから中国とは違うけど、本質は全く一緒ですね。

李 規模が小さいだけ。

石 結局、公と家族の関係は中国の場合と全く同じです。善し悪しの基準は一族さえよければ全て善しと。しかも周辺の社会もみんなそう思っている。

李 だから周辺はその前提で行動します。「小統領」に賄賂を渡せば成功すると。その通りになるんですよ。

石　そこが日本と全然違います。例えば田中角栄元首相が起訴された通りに5億円の収賄を実際に行ったとしても、それは政治資金をつくるための収賄であって、決して本人の家族のための収賄でないことは明らかです。

角栄の家族に関していえば、角栄に「３つの誓い」をさせたことで有名な正妻のはなさんは、夫人としての慎ましさこそが賞賛されていて、角栄の権力を利用して何らかの利益を得ようとする人間でないことは誰でも知っています。愛嬢の田中真紀子さんにしても、父親の権力を利用して「収賄」したりしたような話は一切聞きません。

李　確かに中国や韓国とは全然違いますね。

石　李さんの話を聞いて完全にわかりました。大きな収穫です。

李　韓国と北朝鮮は、文化的な面では大きな枠からすると全く同じですね。なぜかというと、韓国はいまでこそ民主化が実現して、わあわあ言っているけど、みんな権力には本当に弱いでしょう。

石　同感です。

李　なんで大統領の息子のために社員を70人も動員して1日70万ドルを引き出し、１００万ドルを工面してご夫人に持っていくのか。普通の企業家からすると、どう考えてもおかしいでしょう。大きな枠では、そういう権力に対して卑屈になるような構造は北朝鮮もそうでしょう。儒教的なものとか家族の結束とか、全体的な文化の根底にあるものは似ていますよね。

ただ、北朝鮮の場合は、表向きは文化大革命の中国と同じように、一家の父親であっても首領様に対して悪口を言ったら家族が密告するなど、いびつな部分はあります。韓国とは政治制度が違いますから。

石　始皇帝以降、皇帝だけが尊厳を持つご主人様で、ほかのみんなは奴隷。いまの北朝鮮は見事にそれをやっている。金一族は「最高尊厳」と言われるでしょう。ほかの人は誰も尊厳がない。金一族以外は、政権の最高幹部であっても奴隷でしかない。

李　北朝鮮の朝鮮労働党機関紙「労働新聞」では、そのまま金正恩（ジョンウン）を最高尊厳と呼んでいる。

ただ、細かいところでは、ことばや食文化は南北で70年くらい往来があまりないのですこしは違うけど、基本は同じです。ことばも通じるし、昔ながらのキムチ文化や冷麺の食習慣は全く同じ。あまり変わらないですね。

第6章

無礼な隣国との付き合い方

身内に「ありがとう」を言わない？

李　（2人の間に花を置いて）この花はかなり長持ちをしています。たくさん花束を買ってきて、1週間経って生き残ったのがこれ。

石　日本の生け花の精神にも通じますね。満開しているにぎやかなものではなくて一枝二枝のよさです。

李　花には特別な思いがあって、学生時代にうちの女房が毎週、必ず花を買って飾っていた。たった一輪だけでもね。そのときは、花はけっこう高いじゃないですか。1時間くらいの労働が一輪の花で消えるという発想もあったんだけど、よくよく考えると、花を飾るということは、人間の心を清めるというか、余裕を持たせるというかね。たとえ貧しくても、いつも花のある生活というのはすごく大事だと思う。

石　例えば明治時代に中国から来日した高官で黄遵憲（こうじゅんけん）という清王朝の外交官がいました。彼は日本でいろいろな漢詩を詠んでいます。中国ではお金持ちの彼が一番感心したのは、どんな貧しい民家でも必ず花を飾る生活をしていること。中国では花を飾ることは、普通の庶民には関係ないことですから。一輪の花を買うお金があれば、饅頭（まんじゅう）のほうがよほどましとなる。だから日本の田舎の貧しい庶民でも花を飾っていることに彼は心を奪われたのです。

李　私は、そこからいろんなことを考えて、女房に感謝しなければと思うに至ったのです。

石　まあ、われわれはいろんな意味において女房に感謝しないといけない立場です。ただ、女房や家族に感謝とは、どうなんでしょうかね。日本では女房や息子、娘が自分に何かしてくれたら「ありがとう」と言う。でも中国ではそれがないんです。

李　中国では水臭いと感じて、そんなことを絶対に口にしないでしょう。

石　家族がお互いに礼を言うのは絶対ありえない。

李　「ありがとう」と言ったら逆に怒りますよ。他人に思われたかのように受け止めてしまう。

石　そこもすごく大きな文化の違いです。中国はどちらかといえば、家族と外は全然違う世界です。礼というのは中国人の感覚では「偽礼」ということばがあるように偽りのものであって、家族の中で偽りはいらないと考える。

李　礼というのはそもそも偽りだと。

石　そう。ここがすごく重要です。日本人からすれば、礼というのは素直に相手に感謝の気持ちを表す。中国では、よその人とどうやってうまく付き合うかという、ただの技術であって、決して本心からの意味合いではない。本心では「兄弟のような間柄であれば礼なんかはいらない」という話になる。

李　花とかそういうものは見るもので、他人に見せるためだという意識が一方であるけれど、本当は心の中に通じるものかなと思い、エッセーを書こうとしたことがあります。貧しい生活の中でも、一輪の花がいつも玄関にある。それは口先だけでなく、女房に感謝をしないとと思って。

石　日本の場合、大金持ちの家でも飾りといえばおそらく一輪の花が一番ぴったり合います。豪邸でも貧しい家でもそこは同じ。豪邸だからといっても部屋全体に飾ったらアホちゃうかとなります。

中国はなんて馬鹿なものをつくったか

李　中国と日本の審美眼の違いについて話したい。結局、何を美しいと思っているかは、その民族の価値観と密接に関係しますからね。中国の友人が日本に時々訪ねてくるんだけど、本当の大金持ちで大学でしっかり勉強して教育を受けた人は、日本のよさがよくわかっている。

石　そうですね。

李　食べ物に関しても、その価値がわかる。時代や生活レベルによって審美眼は変わるけど、ただ根底にあるもの、昔ながらの何を美しいと思うのか、何が醜いものと思うのかは長い歴史の中で育まれるものですから非常に大事なことです。前にも触れましたが、日本で感じるのは、昔から「つや消し」といって、けばけばしいものではなくちょっと控えめで、どちらかというと自然に限りなく近いもの、これを日本人はよしとしている。日本の街を歩いたり芸術品を見たりすると、かなり中国や韓国とも違いますね。

あえて言うなら、韓国も中国も大きいものとか、鮮やかでけばけばしいものが好き。食事も工芸品も芸術品も、王様が好むようなものをよしとする。

しかし、日本は自然発生的に、自分が好きなものを追求したから多様なものが混ざって、自然体に近い美的感覚が養われたのかなとも思う。

石　日本的な美感覚の極め付きは伊勢神宮に見られると思います。外宮(げくう)にしても内宮(ないくう)にしても、神殿は白い木だけでほとんど装飾もない。ただ素朴な木で最高の神殿ができている。中国人はこれを見て、おそらく2種類の人間が出てくる。一つは自分たちのいままでの審美眼が壊されてすごく感動を覚える。もう一つは、80％以上の中国人は「日本の神社はそんなに貧乏なのか」と笑ってしまう。ただの木でそんなものはうちでもつくれるよと。大きな価値観、審美眼の違いとなると、ここですよ。政治権力とも関係がありますが、中国人はやはり過剰な自己顕示欲、ぴかぴかの金色とかを好む。例えば中国では皇帝の専用の色は黄色です。

李 昔は普通の人間が黄色の服を着ると処刑されました（苦笑）。

石 そう、処刑。あるいは中国に行くと、道教や仏教の寺院も同じですが、見るともうこりごりします。供え物にしても、豚の頭とかが脂っこい。

日本の神道は、最高の神様に供えるものが大根やこんぶなどで、自然に近くて清潔、正常、単純です。伊勢神宮のお供えのお米は専用の水田で作ります。火は必ず新しく起こす。最も自然の形に近いというところに最高の美を満たす。そこに日本の審美眼があります。中国の審美眼は装飾に装飾を重ねる。そこで一種の「見せる」という顕示欲が発揮されるのです。

李 その通りだと思います。北京の紫禁城に入ると、大きな龍を彫刻した石があるでしょう。たぶん何千人もの労働者が遠いところから冬に水を凍らせて、その上に石を載せ引っ張ってきてつくったのでしょう。なぜそこまでやるのかというと、皇帝の権力がいかに巨大かを見せるためなんです。先にも触れましたが、私は昔、中国で大学に通っていたときは、そういう建築物を見てすごく感動して、中国は本当に偉大な国だと思ったけど、最近は、そういうのを見るとなんて馬鹿なことをやったのかと思う。

大阪城を見ると、大きな石を使っていますが、顕示欲でもなんでもなく防衛のためだったと思います。だから中国と日本では考え方が全然違っていて、しかも根本的に違うのは、中国は皇帝や権力者を喜ばせるためのものしかつくっていなくて、日本の場合は、神の道というか、つまり人間を超越した美を求めている。

石　そう、人間を喜ばせるためでもなければ、権力者を喜ばせるものでもない。むしろ権力者の心にも一種の深みを感じさせるんです。

李　権力者は全く関係なく、人間の領域を超えるような自然なんですね。

石　日本の庭園にしても、自然の美しさの内面的な深いところを表現している。中国の皇帝の庭園を見たら、その違いがわかります。変わった形の大きな石をかき集めて、皇帝の偉大さを表現している。例えば清朝末期に西太后（せいたいごう）がつくらせた頤和園（いわえん）を見ればわかります。無理矢理に大きな建物をつくっているでしょう。

李　土を掘って湖にしたものですね。水を入れて、山にはおもちゃみたいな建物をたくさんつくっています。中国で生活していた頃は美しいと思っていた。これだけのことをやったんだと中国のすごさを感じたけど、中国がいかに馬鹿げたことだけに労力を使ってきたか。

石　紫禁城にしても頤和園にしてもそうですね。

李　日本では権力者と普通の人間は、ともに人格を持つ同じ人間として同じ空間にいるという感覚を持っているでしょう。京都の御苑もそうですが、中国と哲学が全く違う。だから石さんが仰ったように、中国の人からすると、田舎くさく見えるだけだけど、自然に限りなく近いところが肝なのです。

石　しかも一流の人間であるほど感動します。アルベルト・アインシュタイン博士も伊勢神宮を見てすごく感動したそうです。

李　レベルの高い人は、本質を理解しようと努力しますからね。

石　宗教的な感覚の違いも審美眼と美術に反映されます。日本の神道は清き明き心。美しさは清さにあるんです。ごちゃごちゃ、ぴかぴかじゃなくて、静かな清いもの。もう一つは、仏教が日本に伝わってきて大きな変化を遂げ、一草一木は仏になるという思想が生まれたことです。花びらの一片まで全て仏なんです。われわれが目にする桜が一枝であっても小さい花でも、みんなそこから一種の魂を感じる。その魂には美的なものがある。日本の屏風絵をたくさん見ればわかります。江戸時代の琳派（りんぱ）の屏風絵が日本の美意識を代弁している。例えば尾形光琳（おがたこうりん）の作品は、単純明快で花一つに全て魂を込めている。そこに仏教の一草一木が成仏する思想と、神道の清き明き心の2つが混在して日本の美意識が出てくる。自然の小さいものの中に宇宙が存在するのです。

李　共通してわかるのは、日本の文化は人間が威張（いば）らない、謙虚さにあるのかもしれません。つくづく思いますが、人間がつくったものは美しく見えるけれども、本当は自然のものが一番美しい。日本の文化にはそれを感じるのです。

石　伊勢神宮は装飾した木材よりも、木をそのまま使う。

李　食事でも中国は油を入れて調味料を入れてごまかしているけど（笑）。日本は食材一つ一つの味を出すために努力するんですね。日本の街を歩いてみると、桜も紅葉もそうだけど、その美しさを際立たせるために、むしろ人間のつくったものを控えめに見せる努力が見て取れる。

石　なるほど。

李　紅葉の前にけばけばしい赤い建物を建てたら、紅葉は美しく見えないでしょう。

人間がつくったものは実に粗末

李　審美眼という点では、韓国は中国に似ている部分が多いです。ただ、韓国の建築物で特徴的なのは、中国の真似をしても小ぢんまりしたものになっている。技術的にできなかったからではなくて、中国皇帝に敬意を払うため、あるいは中国から怒られるのを恐れて大きなものをつくっていないのです。街を歩いていると、韓国はかなり中国に遠慮して、抑制された文化だとよくわかります。

逆に日本は、中国皇帝が何を考えていようが関係ありません。自由奔放に日本古来の文化や考え、センスでつくったものが多い。

石　韓国の美術にはそれほど詳しくありませんが、朝鮮と中国を見て同じように感じるのは、日本のような「わび・さび」があまりないからです。

わび・さびに深みを感じ、愛するところは、日本と中国・韓国との違いだけではなく、日本と世界の違いかもしれません。キリスト教にもそういう文化はないでしょう。西洋の油絵を見たら、わび・さびどころじゃない。できるだけ鮮やかな色でものを表現していきます。まさに絢爛豪華です。ある意味、中国と西洋は、そういう点で相通じるところがある。

ただし、西洋の絢爛豪華は「神様」に捧げるものであって、中国は「王様」に捧げるものという違いはありますが。

李　しかし、日本人は誰にも捧げないですね。

石　その通りです。天照大御神（あまてらすおおみかみ）に捧げる神殿は一番寂（さ）びています。もう一度言わせてもらいますが、伊勢神宮は絢爛豪華とは全く無縁で、捧げものにしてもこんぶ、米、大根で、逆に清さを感じる。その中で日本の美の原点はわび・さびです。日本的仏教の無常観です。『平家物語』の冒頭部分〈祇園精舎（ぎおんしょうじゃ）の鐘の声、諸行無常の響きあり。娑羅双樹（さらそうじゅ）の花の色、盛者必衰（じょうしゃひっすい）の理（ことわり）をあらは（わ）す〉によく表れています。日本人が桜を楽しむのはすぐ散ってしまう無常への感性があるから。そういう神道と日本的仏教、いろんな要素の中で、日本人の美意識の中に自然とわび・さびが出てくるのです。

李　その通りで、自然界のものは、そもそもそんなものなんですよ。

石　そうそう。

李　人間がわざとらしい色を付けたりするものではなく、木なら木らしくないといけないでしょう。神道の話に戻りますが、木は木としての道がある。花は花としての道がある。

石　それ自体が最高であって、美しさであって、絶対的な価値がある。

李　人間がつくったものが、実はいかに粗末かはよくわかるでしょう。いくらきれいな桜を描いても、本当の桜にはかないません。繰り返しになりますが、日本の神道は独特な文化をつくり出していて、そこから全てのもの、高貴なるものに「道」をつける。茶道、書道、柔道、武士道とかね。現在の日本で、みんながそういう感覚を持っているというよりは、そのような文化の蓄積が意識の底辺にあるのでしょう。「なにをつくるにしても最高のものをつくりたい」という考えが生活の隅々まで浸透している。それはお金やコストとは関係なく、そういう文化に通じるものがあるんじゃないかと思う。

　普通の人間社会でもお互いに思いやりを大事にするのは、深い意味ではそういうところから来ていると思います。

石　日本的な審美眼のすごいところは、絢爛豪華を否定して、さらに上を行く美です。中国や韓国との違いの問題ではなくて、それが日本です。

李　本当にセンスがいい。これは日本人をわざと称えるために誇張して言っているのではなくて、日本のものは本当にさりげなく限りなく素朴に見えて、また高価に見える。いいですよね。

中国文化にコンプレックスを感じる必要はない

李　中国と日本の違いは１００年間の文化の違いではなくて、そもそも文化の源が違う。

石　よく言われることは、中国文化と日本文化、あるいは中国文明と日本文明の違い。日本文明は中国からいろんな要素を吸収した。確かに稲作にしても儒教にしても漢字にしても仏教にしても、多くの部分は中国から伝わってきた。しかし、だからといって日本の文化文明は中国に近いかというと全然違う。むしろ根本が全然違う。中国文明と日本文明ほど離れていて、遠いものはないんじゃないかなと思う。李さんはどう思いますか？

李　外国人から、日本は非常に保守的で外国の文化をなかなか簡単に取り入れないと言われるけど、世界で一番柔軟な考えを持っているのが日本民族なんですよ。

石　日本は、中国からいろんな文化的要素を導入したけど、日本の美意識を失ったことはありません。日本の美意識は絶対に中国と違います。伊勢神宮を金で塗ってぴかぴかにすることは誰もしない。逆に日本人は内面的な肝心なところは中国から学んだわけでもない。しかし、内面的な肝心なところはあまり意識されません。

日本が中国から学んだ手段としてのものは、すでに中国では多くが失われて、むしろ日本のほうによくある。だから日本人は中国から文化を受け入れたことを素直に認めてあげながらも、中国文化に対してコンプレックスを感じる必要はありません。

李　日本人はよく「中国からいろんなものを学んだ」と口にします。唐の時代には確かに日本からたくさんの留学生が行って、10年も20年も当地にいて、官僚になった人もいます。で、日本に戻るときは、中国で理想とするものを持ち帰っている。それが一つの大きな要素であるのと同時に、石さんが仰った「コンプレックスを感じる必要がない」というのが一番大事です。たぶんプライドがあったのかもしれませんが、象徴的な例なので繰り返しますが、漢字を日本に持ち込んで、8、9世紀くらいに漢字をばらしてひらがなやカタカナをつくっていますよね。

石　そうですね。

李　仏教もしかりです。いまは日本で仏教が一番いい形に定着したんじゃないかと思っています。仏教はインドから始まって中国、韓国を経由して日本に来たけれども、まあ、その辺りは専門家ではないから詳しくは言いませんが。

石　世界で仏教を代表する国は当然、インドでもなければ、中国でもなく、韓国でもなく、日本です。

李　学問的にもそうです。

石　「禅」ということばで、いま世界的に広がっているのはＺＥＮです。中国語は「チァン」と言いますが、そんなことは世界中の誰もわからない。

李　そこからわかるように、中国の文化は断絶があります。日本の文化は絶えず改善しながら、どんどん進化を遂げてきたような気がする。仏教も日本に入ってから絶えず成熟してきています。

石　一草一木も成仏するのは日本仏教です。草一本でも魂が宿っています。

中国の寺には長居したくない

李　私はキリスト教やカトリック教会に興味があって、世界を旅行するときは必ず聖堂や教会に入るんです。ここで初めて言いますが、４年ほど前に仏教徒になりました。

石　へえ、そうなんですか。どの宗派ですか？

李　浄土真宗です。なぜかというと、その教えに納得がいくんです。私は神とかそういうものを「心」の問題だと昔から思っています。そういう意味では仏教の教えが一番納得がいく。日本の仏教文化も儒教もそうですが、日本にやってきてから成熟していい形になったような気がする。

石　私もきょう初めて言うけど、70歳になったら宗教の世界に入りたい。2つのことを考えていて、一つは神職になること。

李　神職？

石　神主です。もう一つは禅寺のお坊さんになること。両方ともちゃんと修行しなければならないけど。

李　得度（剃髪して仏門に入ること）するには浄土真宗では試験もあります。

石　神道も禅宗もけっこう難しいです。70歳になったら、出版社の人間とはもう関係ありません。そんな俗世間とは関係なくなるから（笑）。

李　私が日本にたどりついたのは、きっと誰かが導いたんでしょう。そういうふうに思っている（笑）。仏教では縁を大事にするでしょう？

石　田舎では最近、神主のいない神社が増えています。神主が不足しているんです。だから私は神職になったら小さい社を守って……。

李　石さんは菩薩みたいで似合うと思う（笑）。

石　あるいは、70歳になったら田舎の小さい禅寺で住職になって毎日座禅します。

李　以前、中国のお寺とか五台山（山西省五台県の霊山）の仏教寺院を全部回って、全11巻の「中国古刹・名刹」というドキュメンタリー作品をつくったことがある。

石　龍谷大学の制作として？

李　いいえ。私が投資してつくりました。寺院をほとんど回ったけれども、中国のお寺には長居したくないですね。日本のお寺だったら、ずっと昼寝をしていたいくらい気持ちがいい。だから中国のチベット寺院もそうですが、お寺の中は湿気が多いし臭うし、中国ではお坊さんになりたくない。日本だったら、なってもいいけど。

石　現代中国のお寺といえば、淫乱、貪欲、酒飲み、人を騙す……。

李　重慶から船で長江（揚子江）を下るとき、お寺を見物させるでしょう。余談ですが、白馬寺（はくばじ）を見に行ったら、そこのお坊さんが特別に私を引っ張っていって案内をしてくれた。わけがわからないままついていったら、「あなたはたくさんよいことをしてきたから特別な人間だ」と褒（ほ）めるんです。お坊さんが言うから悪い気はしなかった。ですが、その後「ここに１００元を入れてください」と。

石　ははは。

李　はっと気づいて、ああ、お金を入れるんだと。でも、そこまで褒めてもらったので、お金を入れないわけにもいかないから入れました。次は違うところを案内されて、これは何々と説明を受けたあとに「買ってください」と。寺院を維持するためかもしれませんが、詐欺師みたいなことをしている（笑）。さすがにこんどは断りました。

中国・韓国とどう付き合うか

李 日本はこれから中国、韓国とどう付き合えばいいですか？

石 正直、韓国とは適当にというか、あまり相手にしなくてもいいです。しかし、中国はそういうわけにもいかず、すでに日本にとって大変な脅威になっています。中国への対応を一つ間違えたら、日本は大変なことになる。

李 いまのアメリカは中国と徹底的に戦うつもりでいます。ジョー・バイデン大統領は中国の跋扈を抑えるために安全保障面はもとより、技術分野でも対中国政策を見直している。例えば、バイオ、バッテリー、半導体（チップ）と、頭文字を取ってBBCとも言いますが、その分野から中国を排除しようとしていますね。そんな中、日本はもうちょっとはっきりした態度でアメリカと一緒に中国牽制に賛同しなければならないと私は考えます。その辺はどうですか？

石 日本は今後、2つのことで大変重要な選択をしなければならないでしょう。一つは人権問題です。中国国内でのウイグル人に対するジェノサイドにしても、あらゆる意味での人権抑圧にしても、日本は民主主義国家、自由世界の一員である以上、いつまでもあいまいな態度で看過することはできません。

今後どういう流れになるかはわかりませんが、場合によっては、例えばアメリカによる２０２２年北京冬季五輪のボイコットがもし起きれば一種の流れになります。そこが日本にとって究極の選択となります。人権の普遍的な価値を取るか、中国との関係を取るか。

李　もう一つは？

石　安全保障の問題です。日本は時には虫のよすぎる考えが一部の政治家にあります。安全保障はアメリカに任せる、経済のおいしいところは中国とうまくやる。そんな甘い考えではいけません。

これからアメリカと中国は、あらゆる分野で対立し競い合うでしょう。そういう状況になると、日本は経済、政治、全てにおいてアメリカを取るか中国を取るか、民主主義を取るか独裁政権につくか、いずれかの選択をしなければならなくなる。考えてみれば結局、日本はいつまでもあいまいな態度が続いていますが、八方美人はもう許されません。

李　そうですね。むしろ日本は冷戦時代に繁栄を謳歌しました。当時の中国は蚊帳の外でしたけどね。

石　そうそう。日本の高度成長期には中国市場なんかなかったわけですから。

李　だから怖がることはないですよ。心配することはない。むしろ日本はもっとチャンスが広がるでしょう。

ただ、昔から日本の大きな課題の一つが、中国、韓国との関係をどうするかでした。つまり、3つの国の大きな構図をどう描くのか、です。例えば福沢諭吉先生は、最初は韓国と連携して中国に対抗するという考えだった。それが結局、韓国がどうしようもない国であることがわかり、韓国とは手を切るべきだというふうになってしまう。

いまでも同じことが言えると思います。日本は本当は韓国と同じ価値観を共有して連携ができていれば、日韓だけでももうちょっと中国のわがままを抑えることができます。けれども、韓国は国際政治よりは中で派閥をつくってけんかばかりしている。それに自分の主張を持たず、ふらふらしています。いまは韓国の左派政権が中国寄りの姿勢を強くしたりして、わかりにくいです。いまの状況をどう思いますか?

石　北朝鮮にしても韓国にしても周辺国をうまく利用することをやってきました。例えば前にも触れましたが、朝鮮戦争がそうだったでしょう。金日成が韓国を併合しようと南進を始めます。韓国はアメリカに助けを求め、国連軍が朝鮮に入ります。そうなると金日成は逆に中国に泣きつき、毛沢東は中国軍を朝鮮半島に送り込みます。金日成が始めた戦争であるのに、最後は朝鮮半島で戦ったのは中国軍とアメリカ軍……。

李　（苦笑）

石　散々利用されて、最後は戦争に何の意味もなく、38度線に戻っただけの話です。開戦する前となんにも状況は変わっていません。中国兵とアメリカ兵は何のために半島で命を失ったのか、いま思えば、まあ、そういう話です。

李　彼らが主導的に能動的に周辺国を巻き込んで利用すれば立派ですよ。しかし、そうではなくて、内輪のけんかに周辺を巻き込んだ。だから周辺国からいじめられた。いまの政権は誰が敵で誰が友人かすら知らない。韓国が日本や米国としっかり組めば、中国といえども韓国を軽くみなさないでしょう。

日本は世界でかなり重要な位置を占めていて、経済的にもいま3番目の経済大国なわけですね。しかも、中国とどう付き合うかということに関しては、ヨーロッパもアメリカも含めて日本の言うことに耳を傾けるはず。米国や欧州は日本の立場というか出方をかなり見ていると思う。

中国が気にしているのは、日本が中国と対決姿勢を鮮明にして、アメリカとかっちりと組んでしまうことです。そうなったら中国は本当に困る。わがままができなくなる。日本には力があるので、自信を持ってリーダーシップを発揮する必要があるというのが私の基本的な考えです。

もう一つは、朝鮮半島は中国と距離を置いてきたから繁栄してこられたという点を忘れてはならないですね。韓国が70年ちょっとの間にこれだけ豊かな国になった一番大きな理由は、北朝鮮を挟んで地政学的に中国から「独立」したからです。いままで中国と接していた国が、北朝鮮がいるために日本のように「島国」になって、嫌でもアメリカと日本と一緒になっていたから。これが韓国の繁栄の最も重要な要素だったと私は思っています。韓国は2000年以上の歴史の中で初めて海洋国家と一緒になった。ここから韓国は学んでほしい。日本とアメリカという海洋国家と一緒になれば繁栄があるけれども、中国と一緒になれば昔に戻ってしまいます。

日本人の美徳を保留したほうがいい

李　まあ、韓国、中国との付き合い方というと難しい話ですよね。

石　確かに難しい。最善の付き合い方は、本来は付き合わないのがいい。

李　あははは。

石　でも、現実には付き合わないわけにはいかない。韓国、中国と付き合うときは、日本人の美徳をしばらく保留したほうがいい。もっと強い神経を持ったほうがいい。

騙すのも騙されるのも当然の世界で、タフにならないとね。向こうが約束を守らないなら、こっちもそういう態度で「騙してもいい」というくらいでないといけません。もちろん一番いいのは、付き合わないことですが。

李　まあ、付き合わないわけにはいかないですね。ただ、これからますます中国との間で、日本は商売とかいろんな交流を減らすことになるでしょうね。完全に付き合わないことはないと思いますが、もう以前のような付き合い方はできないと思う。

日本は以前、中国や韓国に対して「やさしい気持ち」がけっこうあったんです。

石　ありすぎたのです。

李　日本は先の戦争で中国に迷惑をかけた、悪いことをしたと自分から反省をして、中国の役に立つことをしていかなければという気持ちがあった。１９７２年の日中国交樹立以降、日本はＯＤＡ（政府開発援助）の形で何兆円ものお金を中国につぎ込んで、それが呼び水になって現在の中国があるんです。中国産業を引っ張った上海の製鉄工場など、中国のほとんどの基幹産業は日本が育てたと言っていいでしょう。

韓国は言うまでもありません。韓国に賠償金を払って、なんにもなかった韓国に製鉄所をつくった。サムスン、ヒュンダイ（現代、ヒョンデ）といった企業は全部、日本と取引をして仲よくして育った企業です。

石 なるほど、そうですか。

李 しかし、いまになって逆に脅威になってきた。アメリカのトランプ政権時代にマイク・ポンペオ国務長官が言ったように、手を差し伸べたら、かみちぎるようになった、という状況になっている。ここで日本人も冷静になって立ち止まって、どうするかを考える必要があります。

日本の中にはいろんな議論があるのも、もちろん知っています。例えば「中国とは経済的には切っても切れない関係だから大事にすべきだ」といった主張もある。私は経済専門家じゃないけど、中国と日本が交流のなかった時代に日本は繁栄しましたよね。

石 日本の高度経済成長期は中国市場も中国ビジネスもなかった時代です。だから、少なくともそういう考えのもとで、中国がなくても日本はやっていけるという覚悟が必要です。

もちろん中国とのビジネスが日本の経済利益になるならば、やってもいい。しかし、そこに依存してはいけません。

李　確かにそうなんですよ。

石　もう一つは、中国や韓国と付き合うとき、われわれ日本人社会でやるのと同じ論議をしてはいけないでしょう。以心伝心というか、相手のことを思いやれば、相手もこちらのことを考えてくれるという幻想を捨て、心を鬼にして、是々非々で毅然とした態度で向き合えばいい。

李　そうですね。だから善意には善意で応えるものという考えは、国際関係ではあまり通用しません。

石　特に中国、韓国に対しては無意味です。

李　だから日本人同士で付き合っているときとは全く違う世界だと理解する必要がある。

石　日本人同士の場合と同じ感覚で中韓と付き合ったら絶対に駄目です。

李　同じ感じで理解し合っているような幻想を持つけれど、違うかもしれない。謝ればこれで潔く仲よくなると思うけれども、こちらが謝れば、「あんたは悪い人間だ」とレッテルを貼られるから、どんな場合にどう対処するかは冷静に考える必要があります。

だから、ひたすら謝るのはよくない。中国はそれだけ大きくなってしまったけど、韓国はいままで日本にはすこし無理を言っても聞いてくれると思っていた。「甘えの構造」ができてしまった。

石　そこは日本が悪い。韓国を甘えさせた。

李　しつけの悪い「子供」に対して、あらためて何かやろうとすると、けっこうエネルギーが必要で、心を鬼にしなければならない。そういう意味では付き合い方を考え直さないといけない。心を鬼にすることです。日本の鬼は怖くないけどね（笑）。

あとがき

本書のゲラ（校正刷り）が届いてはじめて一気に全文を読みましたが、なるほど、こんなことも言っていたなと、感心するくだりが結構ありました。これまで石平さんとは三回ほど対談を行いましたが、毎回、氏の歯に衣着せぬ言い方や自由闊達な雰囲気に感銘を受けています。ここまでずけずけと率直に物を言う中国人はめずらしい。

中国に生まれ、中国式の教育を受け、中国で記者を経験した私は、石平さんほどではないにしても中国が抱える様々な問題点が見えないわけでもないのですが、中国問題には触れようとしてきませんでした。中国が専門ではないという理由もありますが、清朝を倒した孫文や中国人の魂を変えようとした文豪、魯迅さえも変えることのできなかった中国を、私のような人間が文句を言ったって意味ないだろうと、自分を正当化し、逃げていたのです。しかし、石平さんに会うたびに自分が卑怯ではないかと思うようになりました。

鄧小平の故郷、四川省に生まれ、魯迅が教鞭をとった北京大学に学び、天安門事件を契機に中国の民主化運動に身を投じた石平さんは、評論家というより、私には「戦士」に映ります。私のように中国に移民した韓国人2世の朝鮮族と違って、石平さんは、もしかしたら、その昔、三国時代の蜀に根を持つ、正真正銘の中国人。中国には家族や親戚も、友人や知人も大勢いるだろうに、勇敢にも中国をここまで批判するのは私を含め並の中国人には到底できないことです。それだけ氏の中国に対する思いは強烈なのかもしれません。

魯迅は、中国人の奴隷根性を痛烈に批判し、悪い習慣が身に染みたチンピラのような「阿Q」という中国人男性や無知蒙昧な迷信に生きる「祥林嫂（シャンリンサオ）」（共に魯迅が書いた小説の主人公）という中国人女性を冷笑し、中国人を辛辣に批判することで中国人の魂を喚起しようとしました。石平さんがどう思うかは分かりませんが、このごろ私は石平さんの姿から魯迅を思い浮かべることもあります。かつて、毛沢東は魯迅を「中国人の魂」と称えたことがありますが、習近平氏が石平さんをどう思うかが知りたいですね。

この度の石平さんとの対談は、現在の中国や韓国ではなく、もっぱら中国や韓国の文化を論じていますが、その理由は、一見「勇ましい武将」に見える石平さんが、どのような人で、どのような哲学の持ち主かを知るために私から対談を持ちかけたのがこの本の企画の端緒となったからです。当初、二人の対談は、現実の中国問題には触れずに文化を話題にしましたが、それは多分に、私の頭のなかでは、現実の中国問題からは逃げようという意識が働いていたからかもしれません。しかし、対談の回数を重ねるにつれ、氏の率直なもの言いに触発され、私もいつのまにか中国を憂え、中国を批判する「戦士」になってしまった。その点、石平さんに感謝しなければならないかもしれません。

本書は、一言でいえば、文化を通じて中国・韓国を考えてみる、というものですが、最大のテーマは、現在の中国の姿、中国人の振る舞いの原点は何かでありました。石平さんは対談で、中国をここまで悪くしたのは二人の人間だと言い切っています。秦の始皇帝と毛沢東。私は、それに加えて孔子も悪いと言いましたが、結局のところ中国人を駄目にし、生き苦しい中国をつくったのは、米国のような帝国主義列強でもなく、誰かのせいでもなく、「中国文化」にあるという結論に達していることには二人とも相違はなかったように思います。では、「中国文化」とは一体何なのか。この永遠のテーマに二人は切り込もうとしましたが、この本を読まれる読者の皆さんが、なるほど、中国文化とはこういうものかと、首肯してくださるくだりがあれば、われわれの対談は決して無駄ではなかったことを意味すると思います。

この本では、私が専門とする朝鮮半島問題にも触れていますが、朝鮮半島の文化については中国文化を理解したうえで、その違いや共通点を考えてみるという方法でこの本を読んでくだされば楽しみはさらに増すだろうと思います。

いつも感じることですが、一冊の本をつくるという作業には必ず隠れた「英雄」がいるものです。本書は企画の段階から産経新聞出版の市川雄二氏が関わり、長時間にわたる対談記録を整理して、このような形にしてくださった。また、今、世の中の皆さんがどのような話題に関心を持たれているかを常に的確に把握し、そのような作業の一連の過程を陰で後押ししてくださる産経新聞出版の瀬尾友子編集長にも感謝申し上げたい。

２０２１年８月吉日
青山の書斎にて
李 相哲

本文の注は編集部によるものです。一部を除き敬称を略しました。

石平（せき・へい）

評論家。1962年、中国四川省成都市生まれ。80年、北京大学哲学部に入学後、中国民主化運動に傾倒。84年、同大学を卒業後、四川大学講師を経て、88年に来日。95年、神戸大学大学院文化学研究科博士課程を修了し、民間研究機関に勤務。2002年より執筆活動に入り、07年に日本国籍を取得。14年『なぜ中国から離れると日本はうまくいくのか』（ＰＨＰ新書）で第23回山本七平賞を受賞。著書に『私はなぜ「中国」を捨てたのか』（ＷＡＣ ＢＵＮＫＯ）、『中国共産党　暗黒の百年史』（飛鳥新社）、『トランプvs.中国は歴史の必然である　近現代史で読み解く米中衝突』『中国人の善と悪はなぜ逆さまか　宗族と一族イズム』（産経新聞出版）など多数。共著に『「カエルの楽園」が地獄と化す日』（飛鳥新社）、『中国の電撃侵略2021-2024』（産経新聞出版）など。

李相哲（り・そうてつ）

龍谷大学教授。1959年、中国黒竜江省生まれ。中国紙記者を経て87年に来日。上智大学大学院博士課程修了（新聞学博士）。98年に日本国籍を取得。龍谷大学助教授を経て、2005年から教授。専門の東アジア近代史・メディア史のほか、現代韓国・北朝鮮情勢の分析には定評がある。著書に『金正日と金正恩の正体』（文春新書）、『朴槿恵〈パク・クネ〉の挑戦　ムクゲの花が咲くとき』（中央公論新社）、『東アジアのアイデンティティ　日中韓はここが違う』（凱風社）、『反日種族のタブー　従軍慰安婦マネーの汚れた真実』（宝島社）、『金正日秘録　なぜ正恩体制は崩壊しないのか』『北朝鮮がつくった韓国大統領 文在寅』（産経ＮＦ文庫）など多数。共著に『「反日・親北」の韓国 はや制裁対象！』（ＷＡＣ ＢＵＮＫＯ）、編著に『日中韓の戦後メディア史』（藤原書店）など。

なぜ日本は中国のカモなのか

令和３年９月10日　第１刷発行

著　　者　石平　李相哲
発 行 者　皆川豪志
発 行 所　株式会社産経新聞出版
〒100-8077 東京都千代田区大手町 1-7-2
産経新聞社８階
電話　03-3242-9930　FAX　03-3243-0573
発　　売　日本工業新聞社　電話　03-3243-0571（書籍営業）
印刷・製本　株式会社シナノ

ISBN 978-4-8191-1404-2 C0095